LE GRAND VOYAGE DE L'OBÉLISQUE

Du même auteur

Les Nouveaux Chrétiens
Seuil, 1975

Le Défi terroriste
Seuil, « L'Histoire immédiate », 1979

Le Tarbouche
Seuil, 1992
et « Points », n° P117

Le Sémaphore d'Alexandrie
Seuil, 1994
et « Points », n° P236

La Mamelouka
Seuil, 1996
et « Points », n° P404

L'Égypte, passion française
Seuil, 1997
et « Points », n° P638

Les Savants de Bonaparte
Seuil, 1998
et « Points », n° P885

Alexandrie l'Égyptienne
(avec Carlos Freire)
Stock, 1998

La Pierre de Rosette
(avec Dominique Valbelle)
Seuil, 1999

Mazag
Seuil, 2000
et « Points », n° P916

Dictionnaire amoureux de l'Égypte
Plon, 2002

Voyages en Égypte
(avec Marc Walter et Sabine Arqué)
Chêne, 2003

ROBERT SOLÉ

LE GRAND VOYAGE DE L'OBÉLISQUE

ÉDITIONS DU SEUIL
*27, rue Jacob, Paris VIe*

ISBN 2-02-039279-8

www.seuil.com

Prologue

C'est le plus vieux monument de Paris. Même s'il n'a été érigé sur la place de la Concorde qu'en 1836, l'obélisque date du treizième siècle avant Jésus-Christ. Quand on l'a taillé dans le granit rose d'Assouan puis dressé une première fois à l'entrée du temple de Louqsor, l'ancienne Lutèce n'existait même pas…

La présence d'un monument pharaonique au cœur de la capitale, obtenue au prix de mille efforts, témoigne d'une passion française pour l'Égypte. Passion dont la France n'a pas le monopole, mais qu'elle a exprimée – et consommée, si l'on peut dire – à sa façon. L'Expédition de Bonaparte, en 1798, en a donné toute la mesure. Au-delà de la conquête militaire d'un pays riche, stratégiquement bien placé sur la route des Indes, il y avait le désir d'explorer une contrée énigmatique et fascinante. L'escouade de savants et d'artistes qui accompagnait l'Armée d'Orient allait l'étudier avec minutie, sous tous les angles. L'Égypte devenait un objet d'étude, sans cesser pour autant d'être un objet de curiosité, qui continuerait à nourrir l'imaginaire et les fantasmes.

En observant de plus près ses temples et ses pyramides, en

les mesurant et les dessinant, les Français ont été éblouis par la civilisation pharaonique. La monumentale *Description de l'Égypte* publiée à leur retour était cependant pleine d'interrogations : cet univers restait muet en raison du caractère incompréhensible des hiéroglyphes.

Ce n'était plus vrai en 1830 quand les obélisques de Louqsor ont été offerts à la France par le vice-roi d'Égypte, Mohammed Ali : la clé de l'écriture égyptienne venait enfin d'être trouvée, après des siècles de confusion et de tâtonnements. L'intérêt pour le pays des pharaons prenait alors une autre dimension. Une nouvelle discipline, l'égyptologie, était née, soutenue par l'égyptomanie, à laquelle elle offrirait à son tour plus d'une occasion de rêver.

Le déchiffrement des hiéroglyphes a coïncidé avec une révolution technique : l'entrée en service des premières machines à vapeur. On s'est naturellement tourné vers elles pour transporter un monolithe volumineux, pesant plus de 200 tonnes. Sans se rendre compte de la difficulté de la tâche… Si la vapeur a joué son rôle en mer, il n'en a pas été de même sur la terre ferme : la force des bras dut suppléer aux défaillances de la machine.

Une somme incalculable d'énergie, d'ingéniosité et d'audace a été nécessaire pour aller prendre le premier obélisque à Louqsor, lui faire descendre le Nil, traverser deux mers, remonter la Seine, puis l'ériger sur la plus belle place de Paris. Cette aventure, marquée par toutes sortes de péripéties et de débats, a duré près de six ans. De quoi dissuader les Français d'aller chercher l'autre obélisque, resté seul devant un temple mutilé, loin de son frère en exil.

1

Un désir d'obélisque

Qui, le premier, a eu l'étrange idée d'aller chercher un obélisque en Égypte pour le planter à Paris ? Difficile à dire. Depuis des siècles, les Français raffolent de ces aiguilles de pierre dont ils font de grossières imitations : l'obéliscomanie est l'une des branches les plus vigoureuses de l'égyptomanie.

À Paris, dans les années 1800, on ne compte plus les projets architecturaux qui en sont inspirés. Il a été question d'ériger un obélisque sur la place de la Bastille et un autre sur la place des Victoires. Le célèbre Baltard a même imaginé d'en mettre deux sur la place de la Concorde… Aucun projet n'a abouti, mais de petites constructions de cette forme fleurissent dans des villes de province, dans les jardins, les cimetières et les carrefours forestiers.

Ces obélisques ne sont pas seulement décoratifs : ils peuvent servir de bornes d'orientation, avoir une fonction géodésique ou commémorative, tout en ayant une signification ésotérique. L'un d'eux a été érigé au parc Montsouris, à la demande de l'Observatoire de Paris, pour donner « la direction de la lunette méridienne ». Un autre, dressé au milieu de la forêt de Crécy, dans la Somme, se trouve au croisement de trois routes, formant une étoile à six pointes, symbole du travail alchimique. Quant à la « pyramide du bois de Vincennes », appelée aussi « l'obélisque de Louis XV », elle commémore un reboisement[1].

La confusion entre obélisque et pyramide est encore fréquente dans la France napoléonienne. Il faut dire que les deux monuments égyptiens sont de forme assez proche, ayant chacun quatre faces et se terminant en pointe. Pour peu qu'on les dessine mal, rendant le premier trop trapu et la seconde trop effilée, ils finissent par ne plus se distinguer l'un de l'autre. Mais qu'importe ! L'obélisque séduit par la pureté de ses lignes, son caractère géométrique et abstrait, ou son côté pratique : il est particulièrement prisé comme monument commémoratif, car on peut y inscrire des textes ou des dessins plus aisément que sur une colonne cylindrique.

L'obélisque égyptien, le vrai, est un long prisme en pierre dure, d'un seul morceau, se rétrécissant insensiblement de la base au sommet. Son fût quadrangulaire se termine par une petite pyramide, appelée pyramidion. Le mot vient du grec *obelos* (broche) et plus directement d'*obeliskos* (petite broche servant à faire rôtir de la viande). Une brochette ? Ces masses colossales de granit auraient été désignées ainsi par les Alexandrins de l'Antiquité, connus pour leur esprit caustique…

Les Français regardent avec envie les obélisques de Rome, arrachés à la vallée du Nil au temps des Césars. Érigés une première fois en exil, ils ont été abattus, victimes des barbares ou des séismes. Exhumés à la Renaissance, ils se dressent fièrement dans de hauts lieux de la Ville éternelle, comme la

1. Jean-Marcel Humbert, *L'Égypte à Paris*, Action artistique de la Ville de Paris, 1998, p. 34 à 39.

place Saint-Pierre, après avoir été garnis de croix ou de décorations diverses qui les détournent un peu plus de leur fonction initiale.

Si la flotte française n'avait pas été détruite par les Anglais à Aboukir en 1798, Bonaparte aurait volontiers rapporté d'Égypte quelques-uns de ces trophées. On lui attribue ce propos : « Les obélisques et la colonne d'Alexandrie [la colonne Pompée] me suivront dans la capitale de l'Europe pensante, pour lui apprendre que j'ai été là, où vinrent Alexandre et César [2]. »

Quelques années plus tard, devenu empereur, Napoléon ordonne l'édification d'un obélisque géant à Paris, sur le terre-plein du pont Neuf, à la pointe de l'île de la Cité. Ce monument en granit de Cherbourg, qui devra faire « 180 pieds d'élévation », soit plus de 58 mètres, immortalisera les faits d'armes de la Grande Armée. Dix-sept architectes se mettent aussitôt à l'œuvre et présentent des projets, parfois extravagants. C'est le plus simple qui l'emportera, mais, à la chute de l'Empire, seul le socle sera terminé. Et on y mettra une statue d'Henri IV [3].

L'idée de doter Paris d'obélisques antiques reprend forme sous Louis XVIII. La France guigne les deux « aiguilles de Cléopâtre » qui se trouvent à Alexandrie. L'une d'elles, tombée à terre, a failli être emportée en 1801 par les troupes anglaises qui venaient de chasser d'Égypte l'armée de Bonaparte. Les soldats vainqueurs s'étaient même cotisés pour faire enlever le monolithe, mais l'Amirauté britannique avait alors d'autres priorités.

Le nouveau maître de l'Égypte, Mohammed Ali, est d'ac-

2. Raymond de Verninac Saint-Maur, *Voyage du Luxor en Égypte*, Paris, 1835, p. 460.

3. Humbert, *L'Égypte à Paris*, p. 92 à 95.

Ce monument à la mémoire du général Desaix, mort à Marengo après avoir participé à l'Expédition d'Égypte, a été inauguré le 15 août 1810 sur la place des Victoires, à Paris. Il comprenait un petit obélisque antique, sculpté à l'époque romaine et acquis par le cardinal Albani. Cet obélisque avait été saisi au titre des prises de guerre de Bonaparte et transporté à Paris. À la chute de l'Empire, le monument devait être détruit, et l'obélisque rendu aux héritiers du cardinal, pour être érigé finalement à Munich.

cord pour céder une « aiguille de Cléopâtre » à la France et l'autre à l'Angleterre. Aspirant à l'indépendance, cet Albanais de Macédoine a besoin de l'appui des deux grandes puissances européennes dans le combat qu'il mène contre son suzerain, le sultan de Constantinople. Il se soucie peu des vieilles pierres qui jonchent sa terre d'adoption, n'y voyant qu'un matériau de construction ou un outil politique.

Charles X, qui a succédé à son frère Louis XVIII, est au mieux avec Mohammed Ali, lequel lui a offert… une girafe. L'arrivée à Marseille de cet étrange animal, en octobre 1826, a fait sensation. Le mammifère est remonté jusqu'à la capitale, en six semaines, escorté par un détachement de la cavalerie royale. On lui a confectionné un imperméable sur mesure pour le protéger des humeurs du ciel. Sa promenade quotidienne à Paris déplace une foule de badauds [4].

Mohammed Ali s'est entouré de plusieurs Français – ingénieurs, militaires ou médecins – qui l'aident à bâtir un État moderne. Le consul général de France en Égypte, Bernardin Drovetti, passe pour l'un de ses plus proches conseillers, même s'il est en concurrence avec son homologue anglais, Henry Salt, qui a obtenu lui aussi une girafe pour Sa Gracieuse Majesté. Les deux diplomates, grands amateurs d'antiquités l'un et l'autre – leurs collections personnelles donneront naissance à plusieurs musées égyptiens d'Europe –, incarnent l'éternelle rivalité franco-britannique. Et voici que celle-ci va s'enrichir d'une querelle d'obélisques…

La France, après tout, mérite bien une récompense. L'un de ses fils, Jean-François Champollion, ne vient-il pas de découvrir la clé de l'écriture hiéroglyphique, élucidant un mystère

4. Michael Allin, *La Girafe de Charles X*, Paris, Jean-Claude Lattès, 2000.

qui durait depuis quinze siècles ? C'est d'ailleurs grâce à un petit obélisque, prélevé à Philae et transporté en Angleterre, que le Grenoblois a pu conclure sa recherche, y ayant reconnu les mots « Ptolémée » et « Cléopâtre ».

On a longtemps cru en Europe que les inscriptions gravées sur ces monuments renfermaient des spéculations philosophiques, des mystères religieux, des secrets de la science occulte, ou tout au moins des leçons d'astronomie. Un jésuite allemand, Athanase Kircher, voulant décrypter les obélisques de Rome, a même bâti, dans la première moitié du dix-septième siècle, toute une théorie ésotérique de la pensée égyptienne qui associait momification et métempsycose...

En déchiffrant les hiéroglyphes, Jean-François Champollion a pu constater que les textes des obélisques étaient tout simplement dédiés au pharaon qui en avait ordonné l'exécution. Et parfois à un deuxième pharaon ou à un troisième, venus y imprimer leur marque. « Les obélisques sont des monuments essentiellement historiques, placés au frontispice des temples et des palais, annonçant par leurs inscriptions le motif de la fondation de ces édifices, leur destination et leur dédicace à une ou plusieurs divinités du pays, et le nom du souverain qui les fit élever [5] », résumera Champollion-Figeac, le frère aîné du déchiffreur, passionné d'Égypte lui aussi.

Des monuments « essentiellement historiques »... Est-ce à dire qu'ils avaient aussi une autre fonction ? L'égyptologie naissante n'est pas en mesure de le savoir.

5. Champollion-Figeac, *L'Obélisque de Louqsor transporté à Paris*, Paris, 1833.

2

Le choix de Champollion

En août 1828, Jean-François Champollion arrive en Égypte à la tête d'une mission franco-toscane. Six ans après sa découverte, il vient vérifier sur place la validité de sa méthode et étudier un à un les monuments pharaoniques. Le déchiffreur des hiéroglyphes foule enfin la terre qui le passionne depuis l'enfance, et qui a fait sa gloire.

Son premier souci, en débarquant à Alexandrie, est d'examiner les deux aiguilles de Cléopâtre, situées en dehors de la ville moderne. Il faut s'y rendre à dos d'âne en franchissant des dunes de sable et une multitude de monticules formés de débris qui recouvrent les restes des édifices grecs et romains de l'antique Alexandrie. C'est un repaire de lézards, de serpents, d'insectes venimeux et de chiens errants aux aboiements rauques qui ressemblent à des chacals, précise-t-il dans une lettre à son frère aîné. « J'arrivai enfin auprès des obélisques, situés devant le mur de la nouvelle enceinte qui les sépare de la mer dont ils sont éloignés de quelques toises seulement. De ces monuments, au nombre de deux, l'un est encore debout et l'autre renversé depuis fort longtemps. Tous deux en granit rose, comme ceux de Rome, et à peu près du même ton, ils ont environ soixante pieds de hauteur, y compris le pyramidion[1]. »

Un rapide examen des hiéroglyphes qui y sont gravés lui confirme que ces monolithes ne méritent pas leur nom : ils sont bien antérieurs à Cléopâtre. C'est Thoutmosis III, quinze siècles avant Jésus-Christ, qui les avaient fait ériger devant le temple du Soleil à Héliopolis et, par la suite, deux autres pharaons de la XVIIIe dynastie y avaient apposé leur marque. Les Ptolémées s'étaient contentés de les transporter à Alexandrie, treize siècles plus tard, pour les consacrer à un nouveau sanctuaire.

Champollion copie et fait dessiner les inscriptions encore visibles. Mohammed Ali, qui le reçoit au palais de Ras el-Tine, se dit intéressé par ces textes. Qu'à cela ne tienne : une traduction en turc lui sera fournie dès le lendemain, grâce à l'aimable collaboration du chancelier du consulat... La France, écrit le déchiffreur à son frère, devrait faire enlever sans tarder l'aiguille encore debout qui lui a été offerte, de crainte qu'elle ne lui échappe.

Il apprendra peu après que l'Angleterre a renoncé, au moins provisoirement, à emporter « son » obélisque. L'opération serait trop coûteuse, selon un officier de marine britannique, venu inspecter le site : pour transporter le monolithe jusqu'à la mer, il faudrait construire une chaussée spéciale et cela reviendrait à quelque 300 000 francs.

Accompagné de ses collaborateurs, Champollion remonte le Nil, visitant chaque site antique. Son bateau le conduit jusqu'à Thèbes et, là, il tombe en admiration devant les deux obé-

1. Jean-François Champollion, *Lettres et Journaux écrits pendant le voyage d'Égypte*, Paris, Christian Bourgois, 1986.

*L'entrée du temple de Louqsor en 1800 (*Description de l'Égypte*).*

lisques du temple de Louqsor, qu'il qualifie encore de palais. « Un palais immense, précédé de deux obélisques de près de quatre-vingts pieds, d'un seul bloc de granit rose, d'un travail exquis, accompagnés de quatre colosses de même matière, et de trente pieds de hauteur environ, car ils sont enfouis jusques à la poitrine. C'est encore là du Rhamsès le Grand[2]. »

De quoi lui faire oublier les aiguilles de Cléopâtre. « Je suis bien aise, confie-t-il à son frère, que l'ingénieur anglais ait eu l'idée d'une chaussée de 300 000 francs pour dégoûter son gouvernement, et par contrecoup celui de la France, de ces

2. Lettre du 24 novembre 1828.

pauvres obélisques d'Alexandrie ; ils font mal depuis que j'ai vu ceux de Thèbes. [...] C'est un des obélisques de Louqsor qu'il faut transporter à Paris ; il n'y a rien de mieux, si ce n'est de les avoir tous les deux [3]. »

Trente ans plus tôt, la beauté de ces monolithes n'avait pas échappé aux jeunes ingénieurs qui accompagnaient Bonaparte en Égypte. Ils avaient noté que les deux obélisques ne sont pas exactement de la même taille, mais que cette différence est gommée par un double artifice : le plus petit se trouve sur un socle un peu plus haut, et un peu plus avancé. L'illusion est parfaite.

Trois colonnes de hiéroglyphes sont gravées sur chaque face. Simplement piquées à la pointe dans les parties latérales, les figures sont creusées à une profondeur de quinze centimètres dans la colonne centrale. Avec un soin extrême, Champollion copie ces inscriptions, corrigeant et complétant les dessins effectués par les savants de Bonaparte (qui ne savaient pas lire l'égyptien) après avoir fait dégager la base des monuments. Malheureusement, ni la face est de l'obélisque de droite ni la face ouest de l'obélisque de gauche ne sont visibles : pour y accéder, il faudrait abattre plusieurs maisons.

Se fondant sur la grammaire, encore imparfaite, qu'il a élaborée, Champollion lit ceci : « Le Seigneur du monde, Soleil gardien de la vérité (ou justice), approuvé par Phré, a fait exécuter cet édifice en l'honneur de son père Amon-Ra, et il lui a érigé ces deux grands obélisques de pierre, devant le Rhamesséion de la ville d'Amon. » Le savant décrit de manière très vivante ce qu'il voit. Par exemple, sur la face nord de l'obélisque de droite : « Le dieu de Thèbes, Amon-Ra, est assis sur son trône ; deux longues plumes ornent sa coiffure ; il tient

3. Lettre du 4 juillet 1829.

dans la main droite son sceptre ordinaire, et dans la main gauche la croix ansée, symbole de vie divine. Devant lui, Rhamsès II est à genoux ; sa tête est ornée de la coiffure du dieu Phtha-Soccaris, surmontée du globe ailé, et il fait au dieu Amon-Ra l'offrande de deux flacons de vin... »

Les obélisques ont été dressés au début du règne de Ramsès II, qui s'est étendu de 1279 à 1213 avant Jésus-Christ. Ils ont donc plus de trente siècles... Champollion attribue par erreur à deux rois différents – « Rhamsès II et Rhamsès III Sésostris » – les cartouches y figurant. En réalité, toutes les inscriptions concernent Ramsès II, dont le prénom est tantôt complet (Ouser-maât-Rê-setep-en-Rê), tantôt abrégé (Ouser-maât-Rê). Quant à « Sésostris », c'est un nom de légende, né d'une vieille confusion entre deux grands pharaons, Sésostris Ier et Ramsès II. Cette erreur va se retrouver dans de nombreux écrits : en France, tout au long du dix-neuvième siècle, il sera beaucoup question de « l'obélisque de Sésostris »...

Champollion presse son frère d'intervenir auprès du gouvernement, car « il est de l'honneur national » d'avoir l'un des deux obélisques de Louqsor. « Insiste pour cela, lui écrit-il, et trouve un ministre qui veuille immortaliser son nom en ornant Paris d'une telle merveille : 300000 francs feraient l'affaire [4]. »

Question troublante : pourquoi ce savant, qui se pose en défenseur du patrimoine égyptien, veut-il dépouiller un temple aussi magnifique ? Ne va-t-il pas remettre, à la fin de son voyage, des recommandations très sévères à Mohammed Ali pour qu'on n'enlève « sous aucun prétexte aucune pierre ou brique, soit ornée de sculptures, soit non sculptée, dans les

4. Lettre du 25 mars 1829.

constructions et monuments antiques existants encore » en divers lieux d'Égypte ? Louqsor figure en toutes lettres dans sa liste [5].

Il faut dire que Champollion ne fait nulle confiance à Mohammed Ali. « C'est un excellent homme au fond, n'ayant d'autres vues que celles de tirer le plus d'argent possible de la pauvre Égypte, écrit-il avec ironie au terme de son voyage. Sachant que les anciens représentaient cette contrée par une vache, il la trait et l'épuise du soir au matin, en attendant qu'il l'éventre, ce qui ne tardera pas [6]. » Charles Lenormant, qui l'accompagne dans ce périple, se montrera encore plus sévère : « Méhémet-Ali a brûlé galeries, temples, beaux-arts sur les autels de l'industrie. Pour bâtir de si belles filatures, il fallait bien de la chaux et, au lieu de l'aller chercher à deux lieues dans la montagne, il lui a paru plus simple de prendre les monuments [7]... »

Disons pour sa décharge que Champollion ne fait pas partie de ces étrangers qui pillent allégrement le patrimoine égyptien dans un but mercantile. Son souci est de mettre des pièces antiques à l'abri, de permettre à des savants de les étudier, et au public européen de les admirer. Il est très fier d'avoir pu acheter sur place, malgré un budget très serré, le somptueux sarcophage de Zeher (vendu par Mahmoud bey, le ministre de la Guerre de Mohammed Ali...) ainsi que la précieuse statuette de Karomama. Il avoue même avoir « osé, dans l'intérêt de l'art, porter une scie profane dans le plus frais de tous les

5. « Note remise au vice-roi pour la conservation des monuments de l'Égypte », Alexandrie, novembre 1829.

6. Lettre à Bon-Joseph Dacier, secrétaire perpétuel de l'Académie des inscriptions et belles-lettres, Toulon, 1er janvier 1830.

7. Charles Lenormant, *Beaux-Arts et Voyages*, Paris, 1861.

tombeaux royaux de Thèbes » pour détacher le magnifique bas-relief de Séthi Ier, qu'il destine, comme tout le reste, au musée égyptien du Louvre dont il a été nommé conservateur [8]. Mettre les obélisques de Louqsor « sous les yeux de la France » permettrait, selon lui, « d'éclairer le goût du public » qui n'est habitué à voir, dans les villes françaises, que « des décorations de boudoir ». Car « une seule colonne de Karnac est plus monument à elle seule que les quatre façades de la cour du Louvre [9] ».

L'année suivante, dans un rapport officiel, il ajoutera un argument plus politique, de nature à flatter l'orgueil national : « L'étranger parcourt notre capitale sans y rencontrer quelque part un seul monument qui rappelle, même indirectement, notre étonnante campagne d'Égypte [...] Aucun genre de monument n'est plus propre à perpétuer la mémoire de cette grande expédition qu'un ou plusieurs obélisques égyptiens, transportés dans la capitale de la France [10]. » Or, selon lui, l'aiguille d'Alexandrie n'atteint nullement le but proposé : « 1° Cet obélisque, d'abord, est très inférieur dans ses proportions à la plupart de ceux de Rome. 2° Il est très fruste à la base, et deux de ses faces, au moins, sont tellement rongées par l'air salin de la mer, que toutes les sculptures en ont disparu à très peu de chose près. 3° Enfin, son embarquement offre des difficultés plus grandes, en réalité, que celui des obélisques de Thèbes qui lui sont infiniment préférables. » Ces derniers, « à eux seuls, feraient l'ornement d'une capitale ». Ils sont

8. Lettre à Léon Dubois, dessinateur et conservateur au musée du Louvre, Toulon, 27 décembre 1829.

9. Lettre à son frère aîné, Thèbes, 4 juillet 1829.

10. « Obélisques égyptiens à transporter à Paris », 29 septembre 1830, Archives nationales, Marine BB 41029, vol. II, p. 14.

« remarquables par la beauté de la matière, la grandeur des proportions, la richesse des sculptures qui les couvrent, le poli de leurs faces et leur admirable conservation ».

Comment résister à une telle plaidoirie ?

3

Karnak aux Anglais

Mohammed Ali n'est pas à une pierre près. Outre l'aiguille de Cléopâtre, il semble disposé à offrir à Charles X les deux obélisques de Louqsor. L'affaire est suivie attentivement par le consul général de France à Alexandrie qui fait office d'ambassadeur puisque l'Égypte n'est officiellement qu'une province de l'Empire ottoman.

À Paris, Champollion a été entendu. Le ministre de la Marine, le baron d'Haussez, est décidé à faire aboutir cette affaire, malgré un vieux contentieux politique avec le déchiffreur des hiéroglyphes. Mais il va essayer de s'en attribuer le mérite.

Le 19 novembre 1829, il réunit plusieurs personnalités dans son bureau pour étudier le transport des obélisques en France. Il y a là Alexandre Delaborde, membre de la Chambre des députés, Bernardin Drovetti, consul général de France en Égypte, le maréchal de Livron, aide de camp de Mohammed Ali, le baron Isidore Taylor, commissaire royal auprès de la Comédie-Française, le contre-amiral de Mackau, directeur du personnel de Marine, et le baron Tupinier, directeur des Ports[1].

1. Archives nationales, BB 4 1029 bis, vol. VIII, p. 5.

À la suite de cette réunion, le ministre adresse une lettre à Charles X dans laquelle il lui suggère d'envoyer le baron Taylor en Égypte afin de « négocier l'échange de l'obélisque d'Alexandrie pour les obélisques de Luxor, ou d'obtenir les obélisques de Thèbes sans céder celui d'Alexandrie ». Sa lettre est fleurie selon l'usage : « Sire, la France doit à ses Rois les plus beaux monuments qui la décorent, et Paris, qui ne le cède qu'à une seule des capitales de l'Europe moderne, le disputera bientôt aux villes les plus célèbres des temps anciens ; mais ses palais et ses places publiques n'ont pas encore, il faut l'avouer, atteint le degré de splendeur auquel est parvenue Rome, dont la capitale de votre royaume se montre d'ailleurs la rivale en magnificence. On n'y voit aucun de ces obélisques transportés d'Égypte en Europe... » Bref, pour que Paris égale Rome, il lui faut ces aiguilles égyptiennes.

Le baron Taylor voyagera à bord du *Lancier*, tandis qu'un autre brick, le *Dromadaire*, sera envoyé sur place pour effectuer le transport d'un premier obélisque. Petite ironie de l'Histoire : c'est le fils d'un Anglais naturalisé qui défendra les intérêts français face à l'Angleterre. Les deux pays ne sont plus en guerre depuis la chute de Napoléon, mais leur rivalité – politique, économique et culturelle – va se poursuivre en Égypte tout au long du dix-neuvième siècle, et même au-delà.

Taylor débarque à Alexandrie au printemps 1830, chargé de présents pour Mohammed Ali et son fils Ibrahim : des armes, des porcelaines de Sèvres, un exemplaire de la *Description de l'Égypte*... Mais, avant même qu'il ne soit reçu par le vice-roi, survient une difficulté inattendue : le nouveau consul général d'Angleterre, John Barker, réclame l'un des deux obélisques de Louqsor. N'avait-il pas été promis quelques années plus tôt à son prédécesseur ?

Mohammed Ali convoque le nouveau consul général de France, Jean-François Mimaut, pour lui faire part de sa perplexité. Doit-il renoncer à son cadeau à Charles X et lui accorder en compensation un autre obélisque, par exemple celui qui se trouve à Matarieh, près du Caire ? Ou alors ne lui donner qu'un seul des obélisques de Louqsor et offrir l'autre au roi d'Angleterre ?

« Je connais parfaitement le Pacha et je sais comment il faut le prendre, écrit Mimaut le 2 juin 1830 au ministre français de la Marine [2]. Je lui ai déclaré nettement qu'aucune de ses propositions ne me plaisait ; que nous ne voulions point partager les deux obélisques de Luxor, qui se correspondent, qui sont deux pendants, qui sont indivisibles, qui sont deux moitiés d'un tout, et que je sourirais bien moins encore à l'idée d'offrir au Roi des obélisques qui ne seraient que la monnaie de ceux de Luxor. »

Le consul fait à Mohammed Ali une suggestion habile, qui lui a été soufflée par Champollion : « Vous avez promis aux Anglais un des obélisques de Thèbes. Faites-leur don de celui de Karnac qui est connu pour le plus grand et le plus beau de tous, et dont ils seront très fiers, et offrez au Roi de France, qui vous en saura gré, les deux obélisques de Luxor. »

Le pacha juge l'idée excellente. Le lendemain, la transaction est soumise au consul britannique, qui donne son accord, sans se rendre compte qu'il a été piégé. Mimaut explique le stratagème à son ministre : si l'obélisque de Karnak est supé-

2. Georges Douin, *L'Égypte de 1828 à 1830. Correspondance des consuls de France en Égypte*, Rome, 1935, p. 229-233.

rieur par sa taille et son exécution à ceux de Louqsor, il est placé au milieu d'une cour et entouré de constructions colossales, qu'on n'osera pas démolir pour le dégager... En effet, ce monument ne quittera jamais Karnak.

Le 3 juin, dans une lettre confidentielle, le baron Taylor fait part au ministre de la Marine du succès de sa mission : « Ce n'est pas à l'Égypte qu'on les a pris, c'est à l'Angleterre, qui allait les faire enlever [...] Un moment j'ai craint une vive opposition de la part de M. Barker, le consul anglais ; mais il a accepté l'obélisque de Karnac et tout est parfaitement arrangé maintenant[3]. »

Visiblement, Mohammed Ali en a profité pour obtenir quelque chose. « Le Pacha, poursuit Taylor, a mis tant de bonnes grâces dans cette affaire que je crois bien utile, Monseigneur, que vous ayez la bonté d'accorder les demandes qu'il a faites dernièrement, relatives à l'achat de bois pour mâture, il m'en a parlé, il a grand besoin de ces mâts et sera très sensible à l'obtention de ce qu'il désire. »

Mais voilà que brusquement le ciel s'assombrit. De graves nouvelles de France parviennent à Alexandrie. Les élections législatives du 3 juillet ont été un désastre pour le gouvernement. La prise d'Alger par les troupes françaises, deux jours plus tard, n'a rien changé au climat de fronde qui règne à Paris. Quand Charles X a décidé de dissoudre la Chambre, de modifier la loi électorale et de supprimer la liberté de la presse, les protestations ont tourné à l'émeute. À l'issue de trois journées de soulèvement populaire, le souverain a été contraint d'abdiquer. Les libéraux, prenant de vitesse les républicains, ont fait appel au duc d'Orléans, Louis-Philippe,

3. Archives nationales, Marine BB 4 1029 bis, vol. II, p. 8.

auquel La Fayette, enveloppé d'un drapeau tricolore, a donné solennellement l'accolade sur le balcon de l'Hôtel de Ville. « Le baiser républicain de La Fayette a fait un roi », dira Chateaubriand… Tout Paris fredonne déjà la chanson composée par le poète Casimir Delavigne au lendemain des « Trois Glorieuses » :

Peuple français, peuple de braves,
La liberté rouvre ses bras ;
On nous disait « Soyez esclaves ! »
Nous avons dit « Soyons soldats ! »

C'est une monarchie constitutionnelle qui s'est mise en place : il n'y a plus un roi de France, mais un « roi des Français ».

À Alexandrie, Mimaut, le consul, voit venir le danger : l'Angleterre ne va-t-elle pas profiter de cette situation pour réclamer à nouveau l'un des obélisques de Louqsor ? Il prend aussitôt les devants, soulignant que le cadeau de Mohammed Ali était fait à la France et à Charles X non personnellement. Les autorités égyptiennes, désireuses d'engager de bonnes relations avec le nouveau roi, l'entendent bien ainsi. Et elles vont le confirmer par écrit.

Une lettre officielle est rédigée par Boghos Youssoufian, qui fait office de ministre des Affaires étrangères de Mohammed Ali. Cet Arménien originaire de Smyrne s'adresse dans un style ampoulé au comte Horace Sébastiani, nouveau ministre français de la Marine [4] :

4. Douin, *L'Égypte de 1828 à 1830*, p. 330-331.

Alexandrie, le 29 novembre 1830

Excellence,

Son Altesse le vice-roi d'Égypte a reçu par M. le baron Taylor la dépêche dont il était porteur, du ministre secrétaire d'État de la marine et des colonies, pour négocier au nom de S. M. le roi de France, et obtenir une des deux aiguilles de Cléopâtre à Alexandrie, et particulièrement les deux obélisques de Luxor, qui font partie des ruines de Thèbes.

Son Altesse le vice-roi m'a chargé d'exprimer à votre excellence la satisfaction qu'il éprouve à montrer sa reconnaissance à la France pour les nombreuses marques de bienveillance et d'amitié qui lui ont été à différentes époques manifestées, et qui lui ont été récemment renouvelées de la part de Sa Majesté le roi des Français par l'organe de M. le consul général Mimaut.

Je suis ordonné par Son Altesse de mettre les trois monuments cités à la disposition de S. M. le roi des Français dès ce moment, et votre excellence est priée de bien vouloir en faire hommage à S. M. au nom de S. A. le vice-roi Mehmet Aly Pacha.

Il est très flatteur pour moi d'être l'interprète des volontés de mon prince en cette occasion, et je prie Votre Excellence d'agréer l'assurance de ma considération très distinguée.

Boghos Joussouf

Le ministre français de la Marine ignore sans doute que le signataire de ces lignes est un miraculé... Très proche collaborateur de Mohammed Ali, Boghos Youssoufian a encouru dans le passé la disgrâce de son maître. Un jour, à Damiette, à l'issue d'une discussion un peu vive, le vice-roi s'était écrié : « Qu'on le traîne par le pied ! » Ce qui revenait à le condamner à mort. Emmené par les gardes, Boghos eut la chance de tomber sur un *cawas* qui avait une dette à son égard. Celui-ci fit mine de le conduire au bord du Nil, où son cadavre devait être jeté, et s'arrangea pour le mettre à l'abri. Une semaine plus tard, Mohammed Ali, empêtré dans ses comptes, se lamentait : « Ah ! si Boghos était ici, il m'aurait tiré d'embarras ! » Au risque d'être lui-même occis, le *cawas* avoua la vérité au vice-roi. Celui-ci, ravi, le somma d'aller chercher immédiatement Boghos, sous peine d'être passé par les armes [5]…

La France est désormais propriétaire de trois obélisques. Il ne lui reste plus qu'à venir les chercher, ce qui est une autre affaire.

5. *Mémoires de Nubar Pacha*, présentés par Mirrit Boutros-Ghali, Beyrouth, 1983.

4

Ce drôle de navire

Curieusement, le *Dromadaire* est reparti d'Alexandrie, sur un ordre de l'amirauté, sans que l'on ait même essayé de hisser à son bord l'aiguille de Cléopâtre qu'il était venu chercher. J'aurais pu m'en occuper, écrit le consul de France avec quelque amertume – et beaucoup de présomption – au ministre de la Marine. Encore aurait-il fallu acheter le bois nécessaire pour cette opération « puisqu'on a négligé d'en pourvoir ce bâtiment à son départ de Toulon[1] ».

Dans cette même lettre, Mimaut fait savoir au ministre que Mohammed Ali, plein de bonnes dispositions pour la France, voulait lui « faire une surprise » qui aurait pu avoir des conséquences catastrophiques : le pacha avait ordonné à son administration d'abattre les deux obélisques de Louqsor et de les transporter à bord de deux navires jusqu'à Alexandrie. « J'ai été heureusement prévenu assez à temps de cette effrayante galanterie pour prier Son Altesse d'en suspendre l'effet », écrit Mimaut. D'ailleurs, les Égyptiens avaient vite mesuré la difficulté de la tâche : « Déjà, grâces à Dieu, l'ingénieur

1. Lettre du 20 novembre 1830 au comte Sébastiani.

arabe, chef de cette belle expédition, s'était aperçu que son zèle et son obéissance se briseraient au pied de cette masse colossale. »

Mais le consul de France se sent capable, lui-même, de mener à bien l'opération. Non sans légèreté, il écrit au ministre de la Marine : « Je vous prierai, M. le Comte, de vouloir bien me dire si, pour tirer tout le parti possible du temps qui doit s'écouler jusque-là, vous jugez à propos que je prenne les mesures et les dispositions nécessaires pour abattre les obélisques et préparer leur embarquement... » L'opération s'avérera un peu plus compliquée qu'il ne le pense.

Pas question de scier les obélisques de Louqsor et de les transporter en pièces détachées : « Ce serait un sacrilège », a dit Champollion[2]. Le déplacement de monolithes aussi lourds et aussi volumineux n'est pas impossible, les Romains l'avaient démontré. Mais il a été prouvé aussi qu'une telle entreprise pouvait tourner à la catastrophe : lors de son déchargement à Constantinople en 390, un obélisque géant s'était brisé et seule sa partie supérieure avait pu être érigée.

Les ingénieurs français mesurent la difficulté de l'opération. Ce qu'ils savent du transfert des obélisques égyptiens à Rome leur paraît démesuré et ne les avance guère. Auguste dépêcha à Alexandrie un bâtiment qui comptait 200 matelots et 1 200 rameurs. Caius-César, lui, fit construire une galère géante dont le pont devait accueillir un monolithe de 300 tonnes et son piédestal : comme contrepoids, il fallut entasser dans la cale 120 000 boisseaux de lentilles...

La conduite des opérations est confiée au ministère de la Marine. Lui seul dispose des moyens techniques et logistiques

2. Lettre adressée de Thèbes à son frère aîné, 4 juillet 1829.

nécessaires pour abattre, transporter et ériger des obélisques. Les appareils prévus s'inspireront d'ailleurs des manœuvres employées en mer pour hisser les voiles ou les amener.

On commencera par transporter en France l'un des monuments offerts par Mohammed Ali. Champollion avait prévu cette éventualité : « Si, malheureusement, on devait se réduire à n'emporter qu'un seul des obélisques de Louqsor, il faut, sans aucun doute, prendre l'obélisque occidental, celui de droite en entrant dans le palais. Le pyramidion a un peu souffert, il est vrai, mais le corps entier de cet obélisque est intact, et d'une admirable conservation, tandis que l'obélisque de gauche, comme je m'en suis convaincu par des fouilles, a éprouvé une grande fracture vers la base [3]. »

Va pour celui de droite : on fera confiance, sur ce point aussi, au déchiffreur des hiéroglyphes. En revanche, ses propositions techniques pour le transport du monument – car Champollion, esprit universel, s'intéresse à tout, y compris au salaire des futurs ouvriers égyptiens – ne seront pas retenues. Il a plaidé pour la construction d'un grand radeau qui permettrait de déplacer l'obélisque de Louqsor jusqu'à l'embouchure du Nil, avant de lui faire franchir la Méditerranée sur l'une des grosses gabarres en activité, comme le *Rhinocéros* ou le *Dromadaire*.

Le directeur des mouvements du port d'Alexandrie, Besson bey, est partisan, lui aussi, d'un radeau géant de 33 mètres de longueur. Mais un radeau qui, après avoir descendu le Nil, serait remorqué par un bateau à vapeur d'Alexandrie à Toulon. L'obélisque, enfermé dans un cylindre en bois cerclé de fer, serait ensuite transbordé sur un bâtiment spécial, capable de tenir la mer jusqu'au Havre, puis à nouveau sur un radeau pour remonter la Seine jusqu'à Paris.

3. « Obélisques égyptiens à transporter à Paris ».

Le Luxor, *dessin de Léon-Daniel de Joannis.*

Trop compliqué, trop cher et pas assez sûr, estime la commission instituée en 1829 pour examiner le transport. Elle se prononce pour un navire unique, capable d'évoluer sur les deux fleuves et les deux mers, sans aucun transbordement. Ce voilier, dont la construction est confiée à l'inspecteur général du Génie maritime Rolland, devra remplir une série de conditions : être assez spacieux pour contenir l'obélisque, mais assez léger pour pouvoir accueillir un poids supplémentaire de 230 tonnes ; assez solide pour affronter la houle, mais suffisamment plat pour naviguer sur la Seine. (Il n'est pas alors question du Nil, pour lequel de faux renseignements donnent 4 mètres de profondeur en toute saison, de son embouchure jusqu'à Louqsor.) Par ailleurs, la largeur de ce trois-mâts devra être limitée à 9 mètres pour tenir compte des arches les plus étroites des ponts de Rouen à Paris. Sa longueur sera donc exagérée (43 mètres) pour qu'il ne s'enfonce pas trop.

Jamais l'arsenal de Toulon n'a eu à concilier des exigences aussi contradictoires ! De plus, le navire devra s'échouer à Louqsor sur une plage de sable, en position parfaitement horizontale, sans le secours d'épontilles ou d'étais. Sa cale supportera un monolithe dont le poids sera hors de proportion avec l'espace qu'il occupera. Pour mieux répartir le fardeau, le bâtiment sera armé de cinq quilles supplémentaires.

On n'attend pas l'offre officielle de Mohammed Ali pour mettre en chantier ce drôle de navire, baptisé le *Luxor*. Champollion a suggéré d'en confier le commandement au lieutenant de vaisseau Raymond de Verninac Saint-Maur, originaire du Quercy comme lui, qui l'a ramené d'Égypte à bord de l'*Astrolabe* (le voilier avec lequel Dumont d'Urville avait accompli son fameux tour du monde). Le ministre de la Marine donne son accord. Si Verninac, âgé de 36 ans, a fait bonne impression à Champollion, il a été lui-même fasciné par le déchiffreur des hiéroglyphes. Il prend possession avec enthousiasme de son nouveau poste, après avoir participé à la prise d'Alger et rapporté à Toulon 10 millions de francs-or prélevés dans la casbah.

5

Sous le vent d'est

Le *Luxor* paraît trop lourdement chargé au commandant Verninac. Il fait débarquer l'artillerie du navire, pour la remplacer par des armes plus légères. À quoi bon de gros canons puisque l'expédition sera placée sous la protection de Mohammed Ali ? Deux pierriers, montés sur affûts de campagne, suffiront. On y adjoindra cinquante fusils, vingt pistolets et trente sabres, avec des munitions.

Un ingénieur de marine, Mimerel, est responsable de l'abattage de l'obélisque, de son embarquement à bord du navire et de son érection à Paris. Il a mis au point un dispositif original, prévoyant de faire tourner le monolithe sur l'une de ses arêtes inférieures. Mais Mimerel tombe malade et il faut le remplacer.

Le choix se porte sur l'un de ses collègues, Jean-Baptiste Apollinaire Lebas, un polytechnicien de 33 ans, originaire du Var. C'est un tout petit homme, dont on se demande s'il est le mieux placé pour déplacer un obélisque de plus de vingt mètres de hauteur… « Comme il était d'une constitution délicate, précise une notice biographique, on négligea beaucoup son instruction élémentaire ; des exercices violents le fortifièrent, et, arrivé à l'adolescence, il travailla avec tant d'ardeur qu'à 20 ans il était admis le second à l'École polytechnique[1]. » Lebas n'a pas tardé à faire ses preuves : en 1823, il a organisé la flottille qui a bloqué Barcelone. Lors de l'expédition d'Alger, sept ans plus tard, il a supervisé la réparation des bateaux à vapeur de l'escadre et organisé avec succès un chantier de radoub à Sidi-Ferruch.

Sa nouvelle mission lui est fixée par une lettre du ministre de la Marine[2]. Il sera « spécialement et exclusivement chargé de diriger tous les travaux relatifs à l'abattage, au transport par terre et à l'embarquement de chacun des obélisques ». L'ingénieur devra pour cela se concerter avec le commandant du *Luxor*. Aussitôt le premier obélisque embarqué, « le navire ne dépendra plus que de son capitaine ». La tâche de Lebas sera terminée, « jusqu'à l'époque où il faudra recommencer les mêmes opérations pour l'embarquement du second monument ». Seize ouvriers spécialisés, choisis par lui à l'arsenal de Toulon, l'accompagneront en Égypte : parmi eux, des charpentiers, des tailleurs de pierre, des calfats et un forgeron.

Un autre changement intervient parmi les futurs passagers du *Luxor*, sur l'initiative d'un médecin de 36 ans, le docteur Justin-Pascal Angelin, qui rêve de partir en Haute-Égypte. « Le nom de Thèbes, raconte-t-il, éveillait dans mon imagination des souvenirs d'antiquité et de gloire si pressants que je résolus de tenter tous les moyens d'être admis à faire partie de l'équipage[3]. » Étant affecté à une autre mission en tant que chirurgien-major, il n'a qu'une solution : permuter avec le

1. *Nouvelle Bibliographie générale depuis les temps les plus reculés jusqu'à nos jours*, Paris, 1859, t. 29, p. 70.

2. Jean-Baptiste Apollinaire Lebas, *L'Obélisque de Luxor*, Paris, 1839, p. 23 à 26.

3. Justin-Pascal Angelin, *Expédition du Luxor*, Paris, 1833, p. 9.

collègue du *Luxor*. « Les dangers dont certains esprits timorés entouraient ce voyage, les sombres pronostics qu'ils faisaient naître, me donnèrent des espérances. Je me décidai donc à en faire la proposition à mon collègue. » Celui-ci accepte, et les autorités sanitaires donnent leur accord. Il faut dire qu'Angelin est bien placé pour être du voyage : ayant commencé à pratiquer son métier dans la Grande Armée, sous Napoléon, il a acquis ensuite une expérience de chirurgien à Cayenne, ce qui l'aidera à affronter les épidémies en Égypte. Il sera assisté d'un jeune collègue de 19 ans, François Pons.

Le *Luxor* doit emmener au total 121 personnes – des marins provençaux pour la plupart – mais avec un état-major réduit, car seule une petite partie du navire peut accueillir des logements fixes. Les principaux collaborateurs de Verninac sont :

– Léon-Daniel de Joannis, 28 ans, lieutenant de vaisseau en second. Polytechnicien, polyglotte – il étudie le grec, le turc et l'arabe –, c'est un peintre amateur, qui fera tout au long du voyage de jolis dessins et aquarelles ;

– Léon Levavasseur, 27 ans, lieutenant de frégate, polytechnicien lui aussi ;

– Charles Baude, 43 ans, et Léonard Blanc, 28 ans, lieutenants de frégate auxiliaires ;

– Jean Jaurès, 23 ans, élève de première classe ;

– Félix Sylvestre, 26 ans, commis d'administration.

En octobre 1830, le *Luxor* est prêt à prendre la mer, mais Verninac et Champollion persuadent le ministre de la Marine de retarder le départ. Le navire, expliquent-ils, est trop frêle pour affronter une tempête en Méditerranée à l'approche de l'hiver. D'ailleurs, il ne sert à rien de lui faire courir un tel danger puisqu'il sera immobilisé de toute façon à Alexandrie jusqu'en juillet, dans l'attente de la crue du Nil. Le commandant avouera par la suite qu'en demandant ce retard il avait « l'intention secrète de faire modifier le système de mâture et d'obtenir que l'on fortifiât les murailles par des courbes croisées descendant des baux aux carlingues [4] ». De toute évidence, ce drôle de navire ne lui inspire pas confiance.

Un budget de 300 000 francs avait été voté en janvier 1830 pour le transport des obélisques. La construction du *Luxor* et la mission Taylor ont cependant absorbé la plus grande partie de cette somme. À nouveau saisies, les Chambres accordent 200 000 francs supplémentaires.

Champollion avait averti le ministère de la Marine : à Thèbes, on peut trouver de la main-d'œuvre, mais rien d'autre ; il n'y a sur place ni outils ni matériaux. À bord du *Luxor*, on charge donc douze énormes poutres, des dizaines de planches aussi longues qu'épaisses, douze cents mètres de corde grosse comme le bras, des cabestans, des poulies, des leviers, une forge, de l'acier, du fer [5]...

Le départ a lieu le 15 avril 1831 à Toulon. Dans son récit de voyage, le commandant Verninac rend compte des adieux de manière très romantique, comme si nul ne savait la durée ni l'issue de cette mission : « Cent hommes rangés au cabestan tournent avec une incroyable vitesse ; ils paraissent pressés de se soustraire aux tourments de la séparation ; ils ont besoin de courage, et les pleurs d'une mère, d'une sœur, d'une maîtresse, peuvent-ils leur en donner ? L'ancre vient d'être suspendue ; le navire, obéissant à la disposition de ses voiles, tourne sur lui-même ; il arrête sa proue sur la direction de

4. Verninac, *Voyage du Luxor*, p. 33.

5. Objets embarqués, Service historique de la Marine, Vincennes, 7 DD[1] carton 31.

l'entrée de la rade, hors de laquelle la brise fraîche, qui lui souffle en poupe, l'a bientôt jeté. Adieu France ! ne crains rien pour tes enfants ! ton génie veille sur eux ; le besoin qu'ils ont de te revoir les ramènera triomphants [6]. »

Servi par une brise favorable, le *Luxor* navigue vent largue ou vent arrière. Il se comporte honorablement, filant jusqu'à huit nœuds. Seuls quelques marsouins et un énorme cachalot viennent le narguer alors que la Sardaigne est déjà en vue.

Les difficultés commencent le 21, après avoir dépassé les côtes de Sicile. Un vent d'est va obliger le navire à louvoyer pendant trois jours. Il dérive considérablement. « La plus mauvaise barque, munie de trois mâts, naviguerait aussi bien que lui », note Joannis, le commandant en second [7]. N'étant pas assez profond, le *Luxor* « se trouve dans la partie la plus mobile des vagues », et il est impossible de le tenir dans une direction donnée. Cette mer houleuse fatigue dangereusement la mâture. Par moments, on a l'impression que le bâtiment va s'engloutir. Qu'en serait-il avec l'obélisque dans la cale ? Verninac se promet de réclamer, dès son arrivée à Alexandrie, un bateau à vapeur pour être remorqué au retour. « Ni la mâture ni peut-être le navire, écrira-t-il au ministre de la Marine, ne résisteraient dans un gros temps à l'action répétée des lames auxquelles le navire obéit de manière effrayante. Par son peu de tirant d'eau, il est totalement maîtrisé par elles et ne sent plus son gouvernail [8]. »

Tout change, à la hauteur de Candie, grâce à une jolie brise de nord-ouest. Angelin, le chirurgien, qui croyait sa dernière heure venue au milieu de la houle, retrouve le sourire : « La

6. Verninac, *Voyage du Luxor*, p. 38-39.

7. Léon de Joannis, *Campagne pittoresque du Luxor*, Paris, 1835, p. 11-12.

8. Lettre au ministre de la Marine, Alexandrie, 5 mai 1831.

mer était si belle qu'on aurait cru le navire au mouillage[9]. » Toutes voiles dehors, le *Luxor* fait presque oublier ses défauts. Des nuées d'oiseaux viennent s'abattre et se reposer sur ses vergues…

Le 2 mai, à minuit, on approche d'Alexandrie. C'est une côte dangereuse, pleine d'écueils. Le navire attendra le soleil levant pour se faire conduire dans le vieux port. Le lendemain matin, il accoste sous des murs à la blancheur éclatante : le palais de Mohammed Ali.

9. Angelin, *Expédition du Louxor*, p. 11.

6

Halte alexandrine

À peine le *Luxor* a-t-il jeté l'ancre que le chancelier du consulat de France est à bord, accompagné de plusieurs compatriotes. Effusions, félicitations. La France est fière de ses marins qui vont continuer l'œuvre de Bonaparte, de Champollion…

Les arrivants apprennent cependant que Mimaut, le consul général, ne se trouve pas à Alexandrie mais au Caire, auprès du vice-roi. On ignore la date de son retour. Or, lui seul peut obtenir les autorisations nécessaires et financer l'acquisition de bateaux de transport et de divers équipements. Le commandant Verninac fait valoir au chancelier et au vice-consul que le temps presse : le navire doit absolument pénétrer dans le Nil avant la crue. Il est décidé qu'un courrier partira le lendemain pour Le Caire.

Le plus déçu est l'ingénieur Lebas, qui aurait voulu devancer immédiatement le *Luxor* en Haute-Égypte, pour explorer le terrain avant l'inondation, préparer le lit d'échouage du bateau et commencer les premiers travaux d'abattage de l'obélisque. « Cette contrariété au début de la campagne me parut d'un mauvais augure », écrit-il[1].

1. Lebas, *L'Obélisque de Luxor*, p. 27.

L'état-major a droit à quelques réceptions fastueuses dans le quartier franc de la ville. Les négociants européens, à qui Mohammed Ali assure sa protection, vivent très confortablement, au milieu d'une armée de domestiques. Les distractions sont trop rares à Alexandrie pour qu'on ne se dispute pas les membres d'une expédition aussi originale. Dans son récit de voyage, Verninac salue ces « soirées délicieuses » et les « tables somptueuses » de ses hôtes [2].

On ne peut pas dire que le commandant du *Luxor* soit ébloui par l'ancienne cité d'Alexandre, qui vient à peine de renaître de ses cendres pour devenir une place forte et un arsenal. Il décrit « un amas de maisons irrégulières, mal bâties et sans rues ; car on ne peut pas donner ce nom à des couloirs étroits, sales, tortueux et infects, encombrés de chiens, d'ânes et de chameaux qui vous barrent à tout moment le passage ». Alexandrie, qui compte environ 25 000 âmes, commence à retrouver son visage cosmopolite de l'Antiquité. On y parle arabe, mais aussi turc, grec, italien et français… « Une population mélangée d'individus de tout sexe [*sic*], de tout pays, empressée, criarde, et variant encore plus par le costume que par le langage », note Verninac.

Le docteur Angelin, quant à lui, juge les autochtones « fourbes, avares, vindicatifs, d'un fanatisme et d'une ignorance tout à fait barbares [3] ». Les rues d'Alexandrie sont « sales, d'un abord désagréable et d'une habitation malsaine ». Il faut s'éloigner de la ville « à une certaine distance pour rencontrer de jolis jardins qui, par leurs dattiers, leurs citronniers et leurs orangers, charment à la fois l'odorat et la vue ».

Angelin comme Verninac ne tarissent pas d'éloges, en

2. Verninac, *Voyage du Luxor,* p. 48-49.
3. Angelin, *Expédition du Luxor*, p. 13-14.

revanche, sur l'arsenal que leur compatriote Cérisy est en train d'achever, entre la ville et le palais du vice-roi. Neuf vaisseaux de ligne sont déjà sortis de ces chantiers qui illustrent les ambitions militaires du maître de l'Égypte : après avoir combattu les wahhabites en Arabie au nom du sultan, Mohammed Ali a conquis le Soudan pour son propre compte, en attendant de s'emparer de la Syrie. Ayant perdu une partie de sa flotte trois ans plus tôt lors de la bataille de Navarin, il tente de la reconstituer.

Son fils Ibrahim, qui reçoit l'état-major du *Luxor*, est un homme d'une quarantaine d'années, réputé brutal, au visage mangé par la petite vérole. Chef militaire, il s'intéresse essentiellement à la guerre. Après quelques formules de politesse, il demande à brûle-pourpoint à Verninac : « Combien coûte par an un soldat de l'armée française [4] ? » Pris de court, le commandant fait un calcul mental : divisant le chiffre du budget par celui du nombre approximatif d'hommes sous les drapeaux, il répond : « Chaque soldat coûte 500 francs, ce qui fait 50 millions pour une armée de cent mille hommes. » Ibrahim hoche la tête : « C'est aussi ce qu'ils coûtent à mon père. » Une discussion technique s'engage alors sur le combat en mer. Avant de libérer ses interlocuteurs, le fils de Mohammed Ali leur annonce qu'il fera une visite inopinée sur le *Luxor*.

Le surlendemain, en effet, de grand matin, il vient à bord, accompagné seulement d'un interprète. Il parcourt le navire dans tous les sens, pose des questions, se fait expliquer le système d'abattage de l'obélisque, puis indique aux Français qu'il doute du succès de leur entreprise. On se quitte sur cette prévision funeste, avec des sourires polis.

La halte forcée à Alexandrie donne à l'ingénieur Lebas

4. Verninac, *Voyage du Luxor*, p. 50-52.

l'occasion d'observer longuement les aiguilles de Cléopâtre. « Souvent, raconte-t-il, j'allais les visiter pour prendre des inspirations sur les lieux, étudier, méditer les données du problème dont j'avais entrepris la solution, et préparer par la pensée les procédés que je me proposais d'employer plus tard [...] À la vue de ces monolithes, je ne me dissimulai pas les difficultés que devait offrir le déplacement d'une masse aussi considérable ; mais je puisais dans la nouveauté même de cette opération la confiance, l'énergie et la persévérance nécessaires pour la surmonter[5]. »

Quinze jours après son arrivée à Alexandrie, l'état-major du *Luxor* s'impatiente. Toujours pas de consul. L'officier qui avait été envoyé dans la ville de Rosette, à l'embouchure du Nil, pour sonder et baliser la barre, en est revenu très inquiet : il faut aller vite car bientôt le navire ne pourra plus entrer sans danger dans le fleuve. Verninac s'apprête à lever les voiles quand l'arrivée du consul est annoncée.

Mimaut, qu'on a beaucoup attendu, va se montrer très utile. Il ne doute aucunement de la coopération des autorités égyptiennes. Du Caire, le 10 mai, il a écrit au ministre français de la Marine : « J'ai demandé à Méhémet Ali [...] de nous aider de tout son pouvoir dans une expédition fort intéressante pour la France, fort curieuse pour lui-même qui aime les grandes et belles choses [...] Ce prince m'a répondu avec ce ton affectueux qui lui va si bien que tout était commun entre nous, qu'il s'agissait d'une entreprise franco-égyptienne et que je pouvais disposer de tout et demander tout sans réserve. »

Lebas obtient du consul 20 000 francs pour ses travaux à

5. Lebas, *L'Obélisque de Luxor*, p. 28.

venir, et Verninac 40 000 pour couvrir les achats de nourriture et de matériel, l'affrètement de bateaux plats et les salaires des pilotes locaux. S'y ajoutera une petite somme pour les bakchichs et les cadeaux. Un montant trop modeste, comme s'en apercevra assez vite le commandant du *Luxor*. Les Français devront se limiter à des « dons mesquins et rares » et se priver ainsi « de la considération que devaient naturellement trouver les envoyés d'une grande nation accomplissant un grand œuvre [7] ».

Lebas est prêt à partir en éclaireur, avec plusieurs bateaux chargés de matériel divers. Mais voilà qu'on annonce l'arrivée de Mohammed Ali à Alexandrie. L'ingénieur devra attendre encore quelques jours.

Le 8 juin, dans un char à banc, le consul de France, Verninac et Lebas se rendent au palais de Ras el-Tine, qui occupe l'extrémité de la presqu'île, près de l'endroit où se trouvait jadis le fameux phare. Les autres responsables du *Luxor* les suivent à dos d'âne. À l'arrivée, les Français secouent leurs habits de cérémonie, couverts de poussière, avant d'emprunter un escalier majestueux. On les fait entrer dans une salle couverte de tapis précieux et percée de moucharabiehs qui laissent entrevoir la mer. Le pacha, assis de trois quarts sur un divan, le poignard à la ceinture, fume un long chibouk dont le bout d'ambre est garni de diamants. Des yeux très vifs luisent dans son visage impassible, encadré d'une immense barbe blanche. Plusieurs officiers se tiennent debout à ses côtés.

Ayant été averti de la petite taille de Lebas, Mohammed Ali fait semblant de le chercher : « Où est donc l'ingénieur ? » Et, d'un air espiègle, au consul de France : « Il était donc caché derrière vous. Dites-lui de s'asseoir à côté de moi pour

7. Verninac, *Voyage du Luxor*, p. 54.

que je le voie[8]. » Lebas, ravi, vient prendre place près du pacha…

Le maître de l'Égypte semble manifester un vif intérêt pour le transport des obélisques. C'est en tout cas ce que retient l'ingénieur, qui retranscrit ses propos ainsi : « Je m'y intéresse comme s'il était exécuté en mon nom et pour ma gloire. Les ordres les plus formels sont déjà donnés pour que rien de ce qui peut contribuer à l'accomplissement de cette œuvre gigantesque ne vous soit refusé. »

La halte alexandrine, qui avait mal commencé, se termine sous les meilleurs auspices.

8. Lebas, *L'Obélisque de Luxor*, p. 28.

7

Dans le Nil

Plus rien ne retient le *Luxor* à Alexandrie. Encore doit-il être remorqué jusqu'à l'embouchure du fleuve, distante d'une quarantaine de kilomètres, car, faute de vent arrière, il ne peut y arriver seul. Les navires marchands présents dans la rade demandent pour ce service des sommes exorbitantes. Heureusement, au bout de trois jours, un bâtiment de guerre français, le *D'Assas*, pointe à l'horizon : son commandant offrira sans problème la remorque au *Luxor*.

Le 14 juin 1831, les deux bateaux longent pendant plusieurs heures la côte aride et plate, pour arriver à la barre de Rosette : c'est dans ce passage, bordé d'écueils, que les eaux du fleuve entrent en collision avec celles de la mer. Les marins locaux redoutent ses bancs de sable qui ont la mauvaise habitude de se déplacer en permanence, comme en témoignent plusieurs épaves renversées.

Son service rendu, le *D'Assas* reprend la mer. Il est trop tard pour que le *Luxor* puisse entrer dans le fleuve. On jette l'ancre, après avoir allégé le navire d'une grande partie de son matériel, qui est chargé sur de petites embarcations.

Au lever du jour, un délestage supplémentaire est décidé,

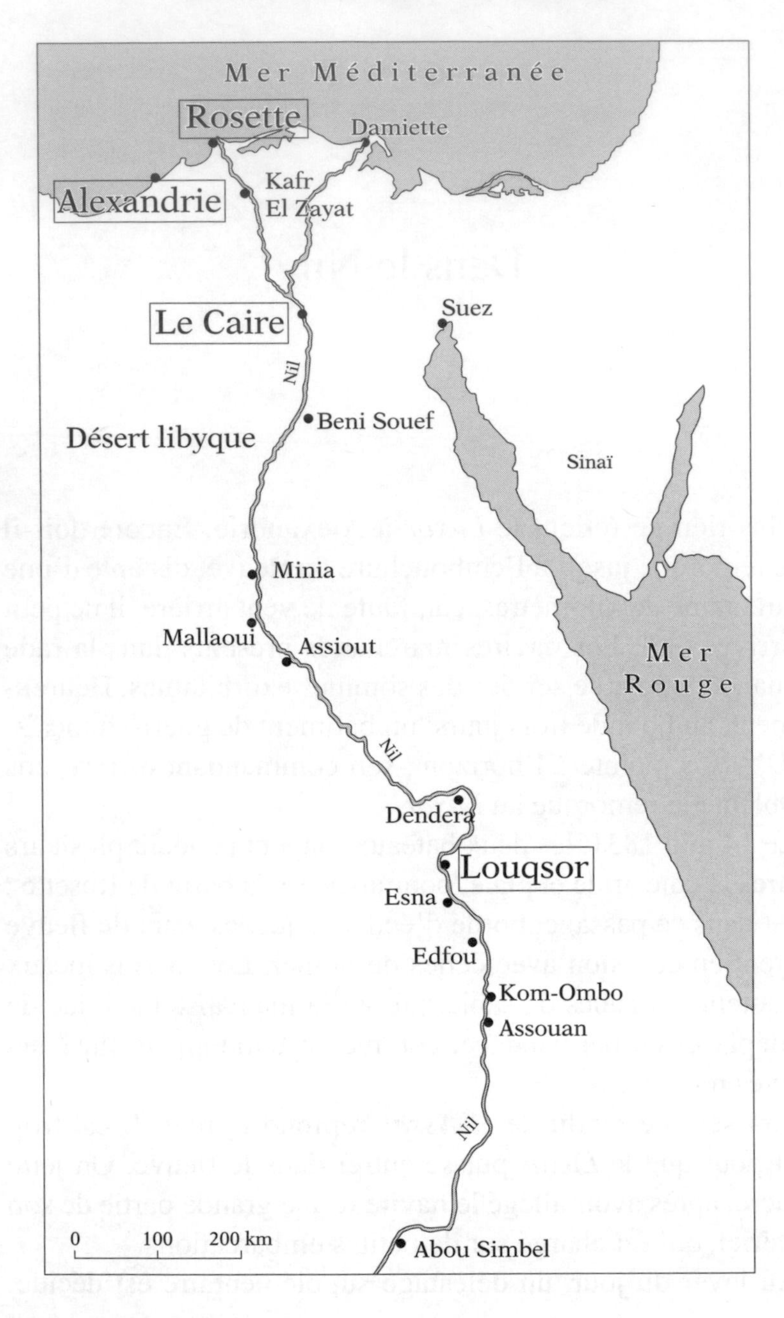
Mer Méditerranée
Rosette
Damiette
Alexandrie
Kafr
El Zayat
Le Caire
Suez
Nil
Beni Souef
Désert libyque
Sinaï
Minia
Mallaoui
Assiout
Mer
Rouge
Nil
Dendera
Louqsor
Esna
Edfou
Kom-Ombo
Assouan
Nil
0
100
200 km
Abou Simbel

mais un vent du nord assez violent commence à souffler, et la mer grossit. Au douzième tonneau, l'opération est interrompue. Le commandant Verninac donne l'ordre de lever l'ancre malgré les risques d'échouage.

Le bâtiment ne tarde pas à heurter un banc de sable, sur lequel il s'immobilise dans une grande secousse. Les quilles labourent dangereusement le fond. C'est la consternation à bord. Verninac se demande si l'expédition ne va pas s'arrêter là[1]. Mais, au bout de cinq minutes, le vent qui gonfle les voiles fait repartir le navire, qui réussit à se faufiler dans la passe.

Le *Luxor* se retrouve soudain au milieu d'un fleuve majestueux, salué par des pélicans et des mouettes. Une terre grasse et noire succède aux sables blanchâtres de la côte. On est vraiment en Égypte. Sur les rives, quelques fellahs en haillons regardent le spectacle, stupéfaits : jamais ils n'auraient cru qu'un navire de cette taille pouvait pénétrer dans le Nil. Sur la rive gauche, l'équipage aperçoit l'ex-Fort-Julien où un officier de Bonaparte avait découvert par hasard, en 1799, la fameuse pierre bilingue qui devait conduire au déchiffrement des hiéroglyphes.

Salué par plusieurs coups de canon à l'entrée de Rosette, le *Luxor* répond par trois décharges de mousqueterie. Des habitants en liesse l'accompagnent jusqu'à l'embarcadère. Le navire s'amarre sur un piquet planté au milieu de la grande place.

Détrônée par Alexandrie, Rosette est une petite ville décadente, mais non dénuée de charme. Ses environs sont couverts de palmeraies et de jardins dont les orangers et citronniers embaument l'air de leurs parfums. Du sommet de la tour

1. Verninac, *Voyage du Luxor*, p. 62.

Abou-Mandour, on découvre un magnifique panorama, et le désert se perdant à l'infini.

Il a été décidé que l'ingénieur Lebas partirait en éclaireur pour Louqsor, accompagné de l'élève officier Jaurès, du chirurgien en second Pons, ainsi que de seize ouvriers et onze matelots. C'est un ancien « mamelouk » français, Jossouf Kachef, devenu drogman – « vieux reste de l'armée de Bonaparte », selon Verninac –, qui leur servira d'interprète. Présenté comme une perle par le consul de France, il va beaucoup les décevoir. Le commandant ne tardera pas à dénoncer l'incompétence et l'inefficacité de ce compatriote converti à l'islam, « auquel une longue habitude, bien plus que son apostasie, avait fait oublier son origine [2] ».

On transborde le matériel sur des bâtiments de transport à fond plat, des *agabas*, indispensables en période de basses eaux. Lebas, Jaurès et Pons occupent une cange, bateau plus rapide, muni d'une sorte de maisonnette à deux chambres. Cette flottille emporte des vivres pour trois mois. Elle appareille le 19 juin, laissant le *Luxor* à Rosette dans l'attente de la crue qui doit lui permettre de naviguer sans trop d'encombre.

Sur ce fleuve, qui change de couleur toutes les heures, tantôt vert, tantôt brun, ou alors étincelant comme de l'acier, Apollinaire Lebas et ses compagnons ont l'impression de pénétrer dans le cœur de l'Égypte. Tout est nouveau pour eux. Ces rives paisibles ne sont parsemées que de pauvres maisons de terre et de bouquets de palmiers.

Le Nil est un fleuve admirable, constatent les Français. On dirait que les dieux l'ont conçu pour la navigation : il coule du sud au nord, tandis que les vents y soufflent du nord au

2. *Ibid.*, p. 139.

sud. On le descend donc emporté par le courant, et on le remonte voiles gonflées. À condition cependant que le vent souffle… Il arrive à la flottille de rester immobile pendant des heures. Lebas enrage en pensant à tous les kilomètres qui le séparent de Louqsor. Parfois, une légère brise se lève, mais les voiles retombent bien vite pour coller lamentablement aux mâts.

L'ingénieur s'aperçoit que les patrons des *agabas* échouent volontairement leurs embarcations sur des bancs de sable, puis attendent tranquillement que les eaux montent pour les remettre à flot. De toute évidence ils cherchent à faire durer le voyage pour augmenter leurs émoluments. Et quand on fait appel à des paysans pour hâler, ce sont eux qui fixent la rétribution et se remplissent les poches au passage [3]. Lebas assiste à leur manège, furieux et impuissant.

Dans ce climat tendu, l'un des bateaux heurte un banc de sable et perd son gouvernail. Il ne tarde pas à prendre l'eau, menaçant le filin blanc, un précieux cordage qui se trouve à bord. N'ayant rien d'autre sous la main, marins et ouvriers se servent de leurs chapeaux de cuir et de débris de poterie pour épuiser la cale…

Après huit journées de navigation intermittente, la flottille atteint la pointe du delta : un endroit verdoyant, où de nombreuses embarcations montent et descendent les deux branches du fleuve. Le Caire n'est plus très loin.

Aussitôt débarqué, Apollinaire Lebas se fait conduire à la citadelle pour se plaindre au gouverneur du comportement des patrons des bateaux. « On va les faire bâtonner », répond paisiblement le Turc, comme s'il appliquait une mesure de

3. Lebas, *L'Obélisque de Luxor*, p. 31.

routine. L'ingénieur, un peu gêné, plaide pour la clémence. Finalement, il est convenu que quatre janissaires accompagneront la flottille jusqu'à Louqsor pour surveiller les marins locaux[4].

Lebas est reçu sous une tente, au bord du fleuve, par un autre Turc, Krali effendi, qui occupe le poste de directeur de la Navigation. Cet homme imposant lui confie que Mohammed Ali l'avait chargé de transporter de Thèbes à Alexandrie « les pierres des Français », mais qu'il y avait renoncé en raison de la difficulté de la tâche[5].

Au détour de la conversation, Krali effendi précise à l'ingénieur que l'obélisque occidental de Louqsor est fissuré : oui, fissuré, à partir de la base jusqu'au tiers de la hauteur. Lebas n'en revient pas. Il n'est question de cette fissure ni dans la *Description de l'Égypte*, établie par les savants de Bonaparte, ni dans le rapport de Champollion. « Cela n'est pas possible ! » s'écrie-t-il. Son exclamation fait sourire le Turc, qui confirme ses propos par un dessin : il ne peut assurer que la fente traverse le granit de l'obélisque, car la face opposée du monument « est cachée par des maisons où habitent des femmes ».

Lebas prend congé, très troublé. Il veut espérer que Krali effendi a confondu l'obélisque de gauche avec celui de droite. Cette fissure, qui risque de tout remettre en question, va le poursuivre jusqu'à Louqsor.

Rassurés cependant par la présence des janissaires, les Français s'offrent une journée d'excursion aux pyramides de Guizeh. Le soir, après une marche harassante, ils embarquent à nouveau et commencent à remonter le Nil en direction de la Haute-Égypte.

4. *Ibid.*, p. 32.
5. *Ibid.*, p. 33-34.

Lebas se fait poète pour raconter les soirées à bord, sous un ciel admirablement étoilé : « Rangés en cercle autour du grand mât, les matelots chantent des chansons arabes, et la cange, ses antennes apiquées, fait bouillonner par la rapidité de son filage les eaux du fleuve, où viennent se projeter par longues ombres des forêts de palmiers et de sycomores. Tout cet ensemble concourt à exciter dans l'âme un sentiment d'admiration calme et délicieux [6]. »

Mais le Nil peut se fâcher et devenir dangereux. Le 3 juillet, vers dix heures du soir, au-delà de Mellaoui, alors que la chaîne arabique s'élève à pic sur cent mètres de hauteur, la flottille est dispersée par des rafales de vent. Pendant deux heures infernales, la cange de l'ingénieur, enveloppée de tourbillons, menace de se briser contre les rochers. Elle réussit néanmoins à se sortir de cette tempête et arrive à Manfalout.

Le reste du voyage, marqué par plusieurs étapes, dont une visite au temple de Dendera, sera beaucoup plus agréable. Et c'est le 31 juillet, au coucher du soleil, « après un dernier coude du fleuve, franchi à la cordelle », que l'on arrive à Louqsor. Lebas aperçoit le temple et son pylône, précédé des deux obélisques. « À l'aspect de ces deux monuments, raconte-t-il, tout s'effaça, tout disparut à mes yeux ; pour la première fois, la vue des ruines de Thèbes éveilla dans l'âme d'un voyageur d'autres idées que des souvenirs d'histoire de grandeur et de décadence. » Thèbes n'est plus pour lui « la ville aux cent portes » chantée par Homère. Elle se réduit à une seule idée, un seul objet : « l'obélisque de droite, en entrant dans le Rhamséium [7] ».

6. *Ibid.*, p. 36-37.
7. *Ibid.*, p. 43.

Les bateaux viennent mouiller en face du temple. Aussitôt, marins et ouvriers s'élancent à terre, traversent la plage en courant et disparaissent au milieu des ruines.

8

Jusqu'à Thèbes

Le *Luxor*, lui, va rester trois semaines à Rosette, en attendant que le Nil ait atteint un niveau suffisant. Cela permet à l'équipage de se promener, de chasser et de pêcher. On recueille des oiseaux, des insectes, des poissons… qui feront l'objet de plusieurs collections.

Le 7 juillet 1831, le navire lève les voiles, remorqué par deux djermes de 100 tonneaux, qui doivent faciliter sa navigation et permettre de sonder les passages difficiles. Jusqu'à Fouah, il ne cessera d'être salué, sur les deux rives, par des groupes de paysans, hommes, femmes et enfants. Le surlendemain, à la hauteur du village de Kafr el-Zayat, il s'échoue pour la deuxième fois. Les officiers en profitent pour visiter cette petite agglomération, un fusil sur l'épaule. Ils en reviennent « le cœur brisé », selon le commandant Verninac, après avoir été assaillis par des fellahs misérables, qui les supplient de leur donner l'aumône[1].

Chaque coude du Nil est une épreuve pour le *Luxor*, l'obligeant à de difficiles manœuvres sous une chaleur accablante.

1. Verninac, *Voyage du Luxor*, p. 77.

Six échouages en six jours… Le périple a quand même été très rapide. Arrivé au Caire, Verninac s'en félicite dans une lettre au ministre français de la Marine, mais s'inquiète déjà du retour, compte tenu des vents et des courants : « Tout ce qui est facilité de Rosette à Louqsor devient difficulté de Louqsor à Rosette [2]. » Il réclame deux péniches de trente avirons chacune, qui serviront à maintenir le navire dans la bonne direction. Et en profite pour rappeler sa demande précédente : qu'un bateau à vapeur soit dépêché à Alexandrie pour remorquer le *Luxor* jusqu'en France.

Contrairement à l'équipe de Lebas, Verninac et ses compagnons vont pouvoir visiter Le Caire pendant plusieurs jours. Ils découvrent d'abord Boulac, le grand port commercial de l'Égypte, où le bâtiment a accosté. Le commandant note « la quantité prodigieuse de navires de toutes grandeurs qu'on voit amarrés le long de ses maisons, le continuel mouvement de bateaux qui passent d'une rive à l'autre, les marchandises qu'on embarque et qu'on débarque, l'affluence de gens de toutes nations qu'y conduisent les affaires [3]… ».

Entre Boulac et Le Caire plusieurs palais de construction récente, appartenant à Mohammed Ali ou à son entourage, illustrent la volonté du nouveau pouvoir égyptien d'allier les techniques occidentales aux fastes des *Mille et Une Nuits*. En cette saison d'inondation, la place de l'Ezbékieh, bordée de maisons élégantes, ressemble exactement aux planches de la *Description de l'Égypte* qui lui sont consacrées : une Venise orientale.

Du haut de la citadelle, Verninac prend la mesure du Caire : « Vous voyez à vos pieds une ville immense renfermant plus

2. *Ibid.*, p. 80-83.
3. *Ibid.*, p. 86-87.

de trois cents mosquées, dont chacune est surmontée de minarets admirables de richesse et de grâce ; à droite les tombeaux des califes, monuments précieux de l'architecture arabe ; à gauche le vieux Caire sur les débris de Fostat ; en avant une plaine couverte de verdure ; plus loin Boulac et son port empli de barques, ensuite le Nil et ses îles verdoyantes ; au-delà, un peu vers la gauche, le vaste emplacement de Memphis, que couvre une forêt de dattiers, et un peu vers la droite, le champ plus vaste encore où se livra la bataille des Pyramides, qu'on aperçoit sur les bords du désert [4]. »

Un riche Arménien de Boulac, désireux d'obtenir le statut de protégé de la France, organise une réception pour l'état-major du *Luxor*. Quand Verninac et ses collaborateurs arrivent chez lui, de nombreux invités sont déjà assis sur un large divan. Le maître de maison, qui veut montrer ses manières européennes, a mêlé hommes et femmes, contrairement aux usages locaux. On sert du café et de l'eau-de-vie. Pendant deux heures, des almées viennent chanter des airs monotones. Les Français s'ennuient fermement, puis ont du mal à retenir un fou rire quand cette musique arrache des cris d'extase à l'un des invités. Ils seront plus attentifs lorsque des danseuses aux « corps parfumés d'essences » et au « sein presque nu » viendront témoigner de leurs charmes [5].

Verninac décrit cette prestation en détail, bien qu'elle soit « si loin de notre délicatesse et de nos mœurs ». La fameuse danse de l'abeille, où une jeune femme se déshabille progressivement pour échapper à un redoutable insecte caché dans ses habits, est précédée d'une scène d'amour tout aussi osée. « Un amant poursuit sa maîtresse et lui dérobe une faveur ;

4. *Ibid.*, p. 79.
5. *Ibid.*, p. 90-94.

bientôt il en demande une autre, puis une autre, puis une autre, puis enfin… le ballet finit quand l'amante n'a plus rien à accorder. » Et le lieutenant de vaisseau Raymond de Verninac Saint-Maur, venu en Égypte au nom de la République pour prendre possession d'un monument historique, pose gravement la question : « Est-il croyable qu'il y ait un lieu de la terre où les mœurs soient telles, qu'un pareil spectacle puisse être supporté sans danger par les dames qui y assistent ? »

Dans les environs du Caire, les passagers du *Luxor* font la connaissance de l'ex-colonel Sève, devenu Soliman bey (et bientôt pacha) à qui le maître de l'Égypte a confié la formation de son armée. Ils assistent à des manœuvres d'infanterie et d'artillerie. Le Français leur présente le général en chef et les généraux qui commandent sous ses ordres. Un déjeuner, auquel participera Ibrahim pacha, le fils de Mohammed Ali, déjà rencontré à Alexandrie, leur est offert à bord du *Luxor*.

Le 17 juillet, le navire est briqué comme un sou neuf. L'équipage, en chapeau de paille et pantalon blanc retenu aux hanches par une ceinture rouge, met la dernière main aux préparatifs devant une foule de curieux. Les invités arrivent à bord de canges, qui fendent l'eau, portées par le courant et leurs rames. Sur le pont, tous les officiers et les marins sont en ligne, devant deux longues files de hamacs soigneusement pliés. Le déjeuner va se dérouler dans une joyeuse ambiance. Oubliant les préceptes du prophète, Ibrahim pacha fait honneur au bordeaux et au champagne. Les toasts se succèdent : on lève son verre au pavillon français, à Mohammed Ali, au déplacement des obélisques[6]… L'alcool commence à monter à la tête des invités, qui, heureusement, se retirent à temps, salués par trois salves de mousqueterie.

6. Angelin, *Expédition du Luxor*, p. 35-36.

Le 19 juillet, après six jours de pause, le *Luxor* quitte Boulac sous les acclamations. De nombreuses embarcations l'environnent et semblent rivaliser de vitesse avec lui. Une légère brise gonfle ses voiles et lui fait remonter lentement le courant. Les maisons du Caire disparaissent peu à peu, laissant place aux pyramides – celles de Guizeh, puis d'Abousir, de Saqqara, de Dahchour, de Meidoum – qui se succèdent sur sa droite pour l'accompagner pendant des heures.

Après deux échouages sans gravité, le navire jette l'ancre devant un village, à une cinquantaine de kilomètres de Boulac. Les Français ne réussissent pas à acheter des provisions : les paysans leur expliquent que s'ils encaissent le moindre argent, celui-ci est aussitôt saisi par le Turc qui les gouverne et les accable d'impôts. Commentaire de Verninac : « Le sort des nègres dans nos colonies est heureux à côté de celui des Arabes renfermés dans la riche vallée qu'arrose le Nil, et dont les déserts qui la bordent à l'est et à l'ouest font pour eux une vaste prison. »

Les étapes se succèdent, sans incident notoire : Atfiyeh, Beni-Soueif, Abou-Guirgueh... Le Nil atteint sa plus grande largeur (plusieurs centaines de mètres), puis la vallée se resserre, et les falaises escarpées de la chaîne arabique sont quasiment au-dessus du fleuve. Entre Minieh à Beni Hassan, cette montagne est criblée de tombeaux. Du *Luxor*, il n'est même pas besoin de longue-vue pour en apercevoir les pilastres et les colonnes.

On s'arrête à Beni Hassan pour visiter les hypogées, munis de flambeaux. Verninac exprime le regret de n'avoir pas été entendu par le gouvernement français quand il demandait que deux dessinateurs se joignent à l'expédition. Car les savants et artistes qui accompagnaient Bonaparte n'avaient pas eu le temps de tout voir et tout reproduire.

Le lendemain, le navire longe pendant une heure le mont Abou-Fedda, ce passage dangereux où la flottille de l'ingénieur Lebas a failli être emportée par des tourbillons. Le *Luxor* y perd deux voiles et évite de justesse de heurter le flanc de la montagne. Pendant deux jours, jusqu'à Assiout, il va devoir affronter des courants rapides et, avec ancres et cordes, des passages étroits qui obligent ses marins à de pénibles manœuvres.

Les Français sont bien reçus par Chérif bey, un proche de Mohammed Ali, qui exerce la fonction de gouverneur de la Haute-Égypte et de la Nubie. Mais, en sortant de cette visite, ils sont assaillis par une centaine de gens de sa maison, qui leur arrachent en un instant tout leur argent : 900 piastres au total, sans compter les 1 000 francs de vin offerts au gouverneur et qu'il a acceptés de bonne grâce. Ce qui conduit Verninac, un peu gêné, à écrire au ministre de la Marine pour lui demander une petite rallonge [7]…

Après Assiout, dans un passage difficile, une erreur de navigation est commise. Sous un vent défavorable, emporté par le courant, le *Luxor* frappe la côte et s'y colle de tout son long. Des marins sautés à terre n'ont pas le temps de le tenir avec des cordes. Décrivant une demi-circonférence, le navire va écraser la chaloupe amarrée derrière lui. C'est une grosse perte, car cette embarcation était la seule capable de porter ses ancres.

Le 7 août, après avoir passé péniblement plusieurs coudes, le *Luxor* mouille devant le temple de Dendera. Il y sera immobilisé trois jours faute de vent, pour le plus grand bonheur de l'équipage. Entre deux parties de chasse au lièvre ou à la perdrix, officiers, marins et ouvriers ne se lassent pas d'ex-

7. Lettre de Louqsor, 20 août 1831.

plorer ce monument à moitié enfoui sous le sable, qui avait arraché des cris d'admiration à Vivant Denon trente-deux ans plus tôt.

À peine le *Luxor* a-t-il quitté Dendera le 10 août qu'un superbe crocodile, à moitié hors de l'eau, apparaît sur la rive orientale du fleuve. Le docteur Angelin raconte : « Dès que le navire fut par son travers, notre capitaine, deux officiers et moi tirâmes dessus avec des fusils chargés à balle, qui lui portèrent dans les flancs. Comme il se débattait violemment, la grande embarcation, montée de plusieurs hommes, fut expédiée pour l'amener à bord. Il fallut, pour s'en rendre maître, lui asséner plusieurs coups de hache et, au moyen d'une corde qu'on lui passa autour du cou, on le remorqua jusqu'au rivage [8]. » Mais le chirurgien-major n'est pas venu en Égypte pour se livrer aux plaisirs de la pêche : « Je procédai sans retard à son dépouillement, afin de pouvoir le conserver et l'offrir au cabinet de la Marine à Toulon, où il est en ce moment. Sa préparation fut très pénible, et m'occupa pendant deux jours entiers, avec quatre autres personnes qui me prêtèrent leur aide. »

Le 12 août, dans le coude de Gamouleh, à une vingtaine de kilomètres de Louqsor, le navire doit affronter un vent debout, sans pouvoir disposer d'ancres ou de cordes : tous ses canots ont été brisés, toutes ses amarres réduites en étoupe. Que faire ? Arrive un jeune homme, envoyé du Ciel, qui exerce la fonction d'intendant de la Thébaïde. Il demande au capitaine si, à force de bras, on ne pourrait pas faire avancer le bâtiment. Ayant obtenu une réponse positive, il rédige plusieurs billets qu'il remet à un cavalier de sa suite.

On l'invite à déjeuner. Trois heures plus tard, on en est au

8. Angelin, *Expédition du Luxor*, p. 47-48.

même point. « Nous commencions à désespérer, raconte Verninac, quand tout à coup un nuage de poussière s'élève dans l'ouest ; il grossit et s'avance vers nous. Bientôt du milieu de ses tourbillons se dégage peu à peu une masse noire, que nous reconnaissons pour une troupe de fellahs ; pressés par les coups de leurs conducteurs, ils approchent sensiblement et arrivent enfin [9]. »

Pieds nus, les paysans ne portent que de misérables haillons retenus autour des reins par une corde de palmier. Leurs dos ont les marques de la cravache. Au grand étonnement des Français, ils se jettent dans le Nil, s'y désaltèrent, s'y lavent, puis viennent se ranger sur la corde qui doit remorquer le *Luxor*. « L'ancre quitte le fond, le signal de marche est donné ; la remorque se raidit, et le navire ébranlé se met en mouvement, aux chants cadencés de trois cents voix à l'unisson [10]. »

Au bout de dix heures, alors que l'on a avancé de douze kilomètres, les hommes, épuisés, demandent grâce. Quelques coups de fouet les remettent en mouvement. Joannis commente : « Je n'essaierai point de retracer tout ce qu'ils eurent à souffrir de la part des Turcs qui les faisaient marcher ; le cœur nous en saignait [11]. » À minuit, enfin, le *Luxor* arrive au sommet du coude. Chaque fellah reçoit 35 centimes et, ravi, baise la main qui les donne. Les matelots, eux, à bout de forces, gagnent leurs hamacs.

Le 13 août, des bateliers égyptiens qui remontent le fleuve annoncent aux habitants de Louqsor l'arrivée d'un immense bâtiment, grand comme une mosquée… Ce n'est pas seulement sa taille qui les a frappés, mais le fait qu'il soit manœu-

9. Verninac, *Voyage du Luxor*, p. 123-126.
10. *Ibid.*
11. Joannis, *Campagne pittoresque du Luxor*, p. 37.

vré à l'aide d'un simple sifflet, sans qu'il soit nécessaire « de crier, de chanter, de dire un seul mot [12] ».

Encore faut-il qu'il arrive à destination. Pas un souffle de vent durant toute la journée du 14 août. L'équipage est réduit à faire le chemin jusqu'à Louqsor avec la seule corde qui lui reste, en plantant des piquets sur la rive. N'y tenant plus, Verninac emprunte la cange de l'intendant de la Thébaïde et part surprendre, dans la nuit, l'ingénieur Lebas et son équipe. Il va toucher de ses mains l'obélisque, que l'obscurité l'empêche de voir, avant de regagner son navire.

Le 16 août enfin, celui-ci jette l'ancre devant le temple de Louqsor, sur la plage d'échouage préparée par Lebas. Un courrier est expédié à Alexandrie pour en informer le consul de France et porter un rapport au ministre de la Marine. Verninac suggère de prévoir un bateau pour transporter le second obélisque. Les deux monolithes pourraient ainsi arriver à Toulon en octobre de l'année suivante [13]. Estimation bien optimiste que les dures réalités de Louqsor vont vite faire oublier.

12. Lebas, *L'Obélisque de Luxor*, p. 60.
13. Lettre du 20 août 1831.

9

Fellahs à l'œuvre

Louqsor est un misérable village de 800 âmes, gouverné d'une main de fer par une demi-douzaine de Turcs. « Les habitants, couverts de haillons ou tout à fait nus, sont entassés dans de mauvaises cabanes, où ils couchent pêle-mêle avec les animaux domestiques, constate le docteur Angelin. Ces espèces de maisons, hautes de dix pieds au plus, reçoivent l'air et la lumière par une porte basse, qu'on ne peut franchir qu'en s'inclinant. Si quelques-unes ont des fenêtres, elles sont fort rares. Toutes sont construites avec des branches de dattiers et des briques cuites au soleil ; un enduit de terre argileuse forme la toiture. Les rues de ce village sont très étroites, et tellement remplies d'ordures que le cœur en est soulevé. »

Habitations et ruines antiques s'entremêlent. La rue principale de Louqsor n'est autre que l'allée bordée de sphinx qui conduit à Karnak. L'entrée du temple est marquée par deux grands pylônes éventrés, couverts de sculptures encore visibles, célébrant des exploits militaires de Ramsès II. Des colosses de granit aux visages mutilés, enterrés jusqu'à la poitrine, y sont adossés. Devant eux, les deux obélisques surgissent au milieu des maisons et des pigeonniers.

Dans le village, un four à incubation artificielle fait l'admiration des Français : il permet de produire jusqu'à 10 000 œufs à la fois. Un boisseau de blé s'échange contre… un boisseau de poulets. Le vendredi, jour de marché, des nuées de mouches couvrent les pièces de viande et les entrailles exposées. Des femmes sont accroupies dans la poussière, tandis que des filles publiques à la démarche provocante circulent entre les étals.

Conscription et corvée sont les deux hantises de la population. Quand un nouvel enrôlement dans l'armée est signalé au Caire, la nouvelle se répand de ville en village et remonte jusqu'en Haute-Égypte. Les hommes de Louqsor en âge d'être mobilisés s'enfuient dans le désert et gagnent les tombes creusées dans la montagne. La nuit, ils descendent pour manger quelques fèves crues…

La corvée, elle, n'épargne personne, sinon les vieillards. Femmes et enfants sont réquisitionnés comme les hommes pour curer les canaux d'irrigation. À défaut d'outils, ils doivent gratter la terre avec leurs mains. On ne leur verse aucun salaire, et même la nourriture ne leur est pas garantie.

Dès qu'il gagne quelques malheureuses piastres, l'habitant de Louqsor s'empresse de les cacher pour qu'elles ne soient pas saisies par les fonctionnaires turcs. Apollinaire Lebas raconte, avec sa précision d'ingénieur, les méthodes employées pour extorquer de l'argent au fellah : « On commence d'abord par exiger qu'il paye les impositions arriérées de ses parents ; si cet acquittement n'absorbe pas entièrement la somme qu'on lui suppose, on le fait rançonner pour celles de ses amis ; s'il refuse de satisfaire, après trois sommations faites à quelques jours d'intervalle, les satellites du *maamour* le couchent le ventre contre terre, lui relèvent les jambes verticalement et lui maintiennent, au moyen d'un bâton attaché par une chaîne contre ses talons, la plante horizontale ; deux individus soutiennent les extrémités du bâton et un troisième se met à cheval sur son cou, afin de l'empêcher de remuer. Dans cette position, on le somme de nouveau ; s'il persiste, le bourreau, armé d'une *courbache* (fouet en peau d'hippopotame), lui en applique des coups redoublés sur la plante des pieds. Bientôt le sang ruisselle et les bourreaux ne répondent aux cris de la victime que par ces mots : *At felhous*, donne de l'argent ! La scène s'anime de plus en plus, les plaintes et les douleurs du patient ne font qu'exciter la fureur des exécuteurs ; les coups se succèdent avec plus de rapidité, jusqu'au moment où l'Arabe, ne pouvant plus résister à la violence des tourments, pousse un gros soupir et lance à terre, par un mouvement convulsif, les pièces d'or qu'il tenait cachées dans sa bouche[1]. »

Un vendeur reconnu coupable de fraude est condamné à être exposé quelques heures devant sa boutique. On le conduit devant son étal, on le fait monter sur deux briques et on lui cloue l'oreille contre le volet, puis les briques sont retirées, et il demeure suspendu, ne pouvant s'appuyer que sur l'extrémité de ses pieds. Contre quelques piastres, son gardien acceptera discrètement de remettre une brique[2]...

Les habitants de Louqsor ne veulent pas admettre que les Français soient venus pour emporter un obélisque. Ils les soupçonnent d'avoir d'autres intentions : sans doute de préparer un débarquement plus important pour s'emparer du pays. D'ailleurs, y a-t-il un homme au monde capable de déplacer un tel monument ? Quand le drogman leur désigne l'ingénieur

1. Lebas, *L'Obélisque de Luxor*, p. 123-124.
2. Maxime Du Camp, *Le Nil : Égypte et Nubie*, Paris, 1852.

Lebas, ils éclatent de rire : « Qui ? Celui-là ! Mais mon bâton est plus haut que lui [3]… »

On ne rira plus en apprenant que les Français souhaitent démolir plus de trente habitations pour aménager une chaussée allant du temple jusqu'au Nil. Quelques pièces d'or, agitées sous le nez des occupants, ne suffisent pas à les convaincre de partir. Le gouverneur de la Haute-Égypte mandate alors son interprète, avec mission de régler l'affaire à la turque, c'est-à-dire au fouet. Lebas s'y oppose, et une commission est constituée, avec le chef du village, pour fixer les indemnités d'expropriation. L'ingénieur s'apercevra trop tard qu'elles sont excessives, qu'il y a eu des dessous de table et qu'il a été roulé…

Cette transaction est marquée par un dîner officiel, offert par les autorités. Un plat unique est posé au milieu des convives. « On prenait la viande avec les doigts, on la déchirait avec les dents, on trempait le pain dans les sauces, se rappelle l'ingénieur. Chaque plat ne restait que quelques minutes sur la table, et était remplacé immédiatement par un autre ; j'en comptai jusqu'à trente-cinq, parmi lesquels figuraient deux moutons entiers. Ces animaux furent dépecés par le *brin-bachi* avec beaucoup de dextérité, il m'offrit ensuite le morceau le plus délicat qu'il pressait dans ses doigts comme une éponge [4]… »

Naturellement, la première tâche de Lebas a été d'examiner les obélisques. Il a pu vérifier avec admiration, après les ingénieurs de Bonaparte, que leurs faces ne sont pas planes, mais légèrement convexes, afin d'annuler une illusion d'optique :

3. Lebas, *L'Obélisque de Luxor*, p. 45.
4. *Ibid.*, p. 49.

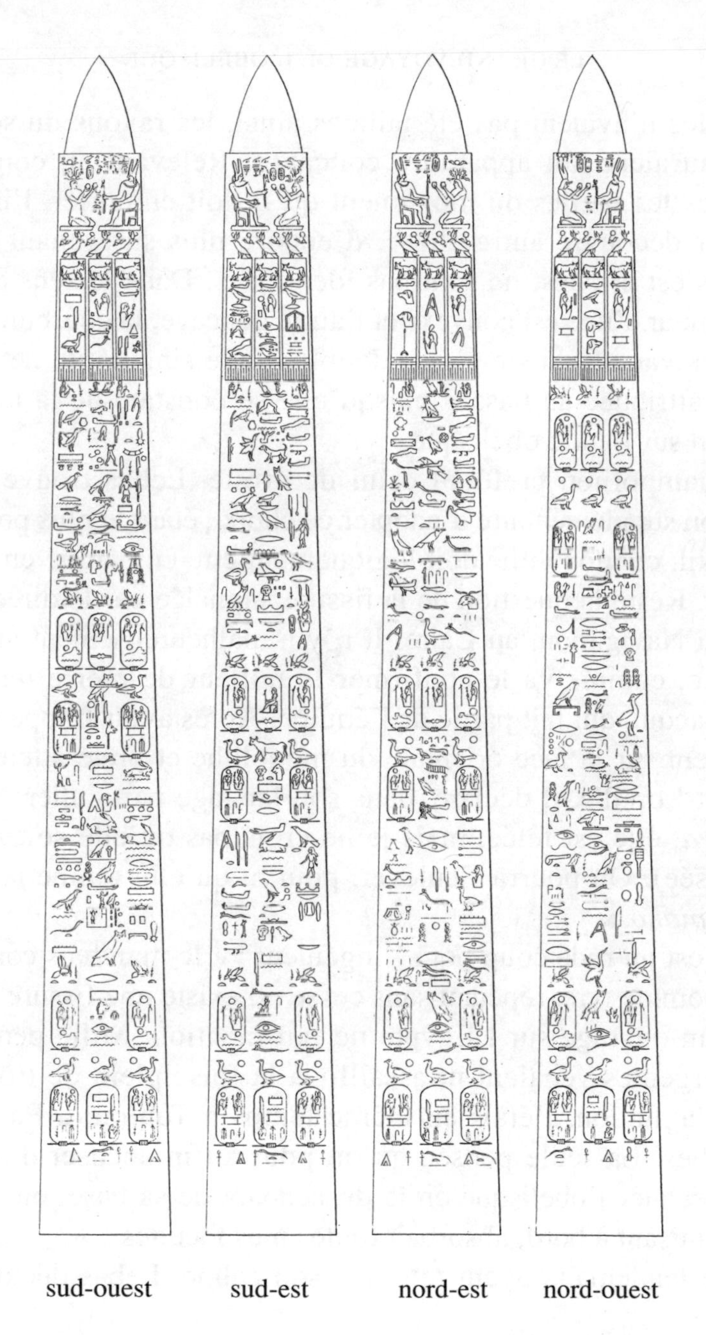

Les inscriptions des quatre faces, dessinées par l'ingénieur Lebas.

si elles n'avaient pas été taillées ainsi, les rayons du soleil les auraient fait apparaître concaves. Relevant au compas toutes les parties du monument qu'il doit emporter, l'ingénieur découvre autre chose, d'encore plus surprenant : les faces est et ouest ne sont pas identiques. Dans le sens de la longueur, l'une est convexe et l'autre concave, la courbure des arêtes variant du simple au double. Cette singularité ne peut être attribuée au hasard puisqu'elle se constate de la même façon sur l'autre obélisque.

Champollion préférait celui de droite. Lebas trouve une raison supplémentaire d'adopter ce choix : étant le plus proche du Nil, ce monolithe doit logiquement être embarqué en premier. Reste la question de la fissure, signalée par le directeur de la Navigation, au Caire. Il n'y a malheureusement aucun doute, comme va le confirmer le tailleur de pierre italien, Mazacqui, qui fait partie de l'équipe. Après avoir frappé doucement sur la face orientale du monolithe et prêté attentivement l'oreille, il déclare, dans son langage particulier : « La *pietra*, elle est fêlée, mais je ne crois pas qu'elle soit *rotta* (cassée). On pourra l'enlever, pourvu qu'elle tombe *piano, ben piano.* »

C'est un rude coup pour l'ingénieur : « Je marchais comme un homme ivre, répétant sans cesse : il existe une fissure dont aucun ouvrage sur l'Égypte ne fait mention. Mille pensées divergentes venaient m'assaillir à la fois ; plein de trouble et d'agitation, j'étais en même temps à Toulon, à Paris, à Thèbes. La seule pensée qu'on pourrait m'accuser d'avoir fait éclater l'obélisque en le descendant de sa base, ou en le conduisant à bord, absorbait toutes mes facultés [5]. »

Le lendemain, ayant retrouvé son calme, Lebas décide de

5. *Ibid.*, p. 45-46.

réviser les plans d'abattage. Mais il faut d'abord connaître l'ampleur de cette maudite fissure et, pour cela, déblayer le socle du monument. On va s'apercevoir qu'elle descend jusqu'à l'arête inférieure de l'obélisque et semble pénétrer dans le granit. C'est fâcheux, mais pas déterminant : on fera avec.

Le piédestal, entièrement dégagé, a une hauteur de 3,40 mètres. Il se compose de deux parties distinctes : la base, formée par trois blocs de grès siliceux ; et le dé, un monolithe en granit rose, décoré de plusieurs cynocéphales qui font corps avec lui.

L'annonce du versement d'une solde journalière a attiré un grand nombre d'habitants de Louqsor. Le plus urgent est de former des scieurs, car les Français supportent mal de se livrer à cette activité dans la chaleur : sous la conduite d'un charpentier, plusieurs ouvriers locaux s'exercent sur des troncs de dattiers. Bientôt, ils seront en mesure de débiter des solives de chêne et, quelques mois plus tard, de scier avec précision des pièces à double courbure.

Lebas est particulièrement satisfait de ses plus jeunes recrues. « En peu de jours, les enfants apprirent le nom de tous les outils et la manière de s'en servir. Ils aidaient les charpentiers à prendre des équerrages, à ligner les bois, etc. Ils allaient chercher dans l'arsenal les divers objets dont on avait besoin, de sorte que l'ouvrier ne perdait pas un moment [6]. »

Quelque quatre cents hommes, femmes et enfants, munis de pioches et paniers, sont employés pour enlever les décombres des maisons détruites et aménager une chaussée reliant les obélisques au fleuve. L'ingénieur est choqué par la « chanson fort obscène » qu'ils entonnent régulièrement. Leur tenue le

6. *Ibid.*, p. 70.

frappe tout autant : « Les Arabes ne gardaient pour tout vêtement qu'un petit caleçon, les femmes, une simple chemise de coton, les enfants des deux sexes étaient entièrement nus. À certaines heures de la journée, la chaleur était si intense que les jeunes gens, dont les pieds sont moins endurcis, ne pouvant supporter l'ardeur du sable, transportaient les paniers en courant, les renversaient avec précipitation, et les interposaient pendant quelques minutes sous leurs pieds. Trempés de sueur, altérés par la poussière salée qu'ils respiraient, ces malheureux venaient à chaque instant étancher leur soif ardente dans l'eau bourbeuse du Nil… Au son du tambour qui annonçait la fin des travaux, hommes, femmes, enfants, tous se précipitaient dans le fleuve, et s'y plongeaient pendant une demi-heure [7]. »

Après le bain, assis en cercle, ils reçoivent leur solde. Lebas se fait immanquablement tirer la manche par une aveugle, avec chaque fois la même supplique : « Donne quelque chose à la malheureuse. Elle ne peut t'aider dans tes travaux, mais elle prie Dieu pour toi ; tu réussiras. »

Il y compte bien !

7. *Ibid.*, p. 60.

10

Un bivouac dans le temple

Les eaux du Nil étant encore trop basses, le *Luxor* n'a pu occuper tout de suite l'emplacement qui lui était destiné. Il s'en approche peu à peu et finit par l'atteindre au début de septembre. On l'amarre alors et le désarme entièrement. Sa mâture et ses agrès sont placés dans le temple, à l'abri du soleil. Seul le mât d'artimon reste debout. Le bâtiment lui-même est recouvert de nattes, qui sont mouillées deux fois par jour. Quand les eaux se retireront, il sera à sec sur cette plage, encadré par deux chaussées de sable sur ses flancs. Il ressemblera à « une forteresse délabrée ou un immense panier d'osier[1] ». On ira régulièrement se réfugier dans sa cale pour profiter de la fraîcheur.

Le pavillon tricolore flotte désormais sur le temple de Louqsor, où les Français se sont installés. Ce sanctuaire peut choquer les amateurs de symétrie, car il s'étend selon un axe brisé : fondé quinze siècles avant Jésus-Christ par Aménophis III, il a été prolongé au nord par Ramsès II cent vingt ans plus tard, et dévié vers l'ouest pour que son entrée coïn-

1. Joannis, *Campagne pittoresque du Luxor*, p. 62.

Le drapeau tricolore flotte sur le temple.

cide exactement avec l'avenue monumentale qui conduit à Karnak.

L'équipage est logé dans la partie méridionale du temple, la plus éloignée du village. Il occupe un vaste portique, déblayé de ses décombres, qui donne sur le Nil. De grosses cordes ont été tendues entre les colonnes pour suspendre les hamacs. Les effets des matelots sont rangés dans des coffres, soigneusement alignés le long des murs. Ceux-ci ont été blanchis à la chaux, sans souci des hiéroglyphes qui y figuraient.

Caporaux, sergents et ouvriers occupent des logements à part. L'état-major, lui, est installé au-dessus de l'équipage, dans un bâtiment neuf, prolongé par une terrasse. On s'est appuyé sur l'entablement des colonnes pour construire un plancher avec des troncs de palmier. Les chambres des officiers sont faites à la manière locale : des briques cuites au soleil et du limon du Nil mêlé à de la paille hachée. Le mobilier vient du navire, complété par des espèces de cages en dattier qui servent de lits. Il n'est pas rare de voir surgir un scorpion d'une crevasse ou un serpent du plancher[2]...

Les tombeaux de deux marabouts vénérés à Louqsor se trouvent à l'intérieur du temple. Des habitants du village viennent y déposer des offrandes, sous l'œil attentif de factionnaires français qui surveillent en permanence la poudrière et l'armurerie, où sont entreposés fusils, pistolets, sabres et piques.

Un jardin, aménagé au bord du Nil, fournit des fruits et des légumes. « On y sema des graines d'Europe qui nous étonnèrent par la rapidité de leur croissance, raconte Lebas. Au bout de neuf jours, nous avions des radis qu'il y avait nécessité de consommer promptement, car treize jours après ils étaient en fleur. Il en était relativement de même des choux-fleurs, des oignons, auxquels il fallait tordre la queue afin de les empêcher de monter[3]. » Le lieutenant de Joannis confirme : « Des haricots semés le 1er du mois nous donnaient des haricots verts le 30 ; des graines d'acacias, semées en haie à notre arrivée, avaient produit au bout d'un an des arbres gros comme le bras et hauts de quinze pieds : on peut par là se faire une idée de l'intensité de la force vitale de ce pays[4]. »

La direction du jardin est confiée à l'interprète, lequel y trouve « le seul emploi qui lui convienne », selon le commandant Verninac. Dix-huit ans plus tard, découvrant ce jardin en compagnie de Flaubert, Maxime Du Camp en fera un tableau enchanteur : « Des dattiers, des mimosas, des bananiers à larges feuilles, des lauriers-roses, des citronniers y jettent une ombre profonde ; un jasmin d'Arabie l'embaume de son parfum, les tourterelles chantent sous les feuilles[5]. »

2. *Ibid.*
3. Lebas, *L'Obélisque de Luxor*, p. 128-129.
4. Joannis, *Campagne pittoresque du Luxor*, p. 71-72.
5. Maxime Du Camp, *Le Nil : Égypte et Nubie*.

Les Français sont bien nourris. Une boucherie, confiée à un chrétien de Louqsor, leur fournit toute la viande nécessaire. Des matelots ont créé des basses-cours et des ruches. Pour moudre du blé, on a remis en route un vieux moulin du village, auquel un cheval donne le mouvement. Chaque marin reçoit quotidiennement 750 grammes de pain, une demi-livre de viande et 69 centilitres de vin. Il peut compter sur le tabac planté dans le jardin.

Les distractions sont rares à Louqsor, pour ne pas dire inexistantes. Le seul Européen vivant sur place est un Anglais, John Gardner Wilkinson, passionné d'antiquités, dessinateur, naturaliste et géographe. C'est un homme charmant, qui fait visiter les ruines aux Français. En attendant de devenir l'une des grandes figures de l'égyptologie britannique…

Les membres de l'expédition qui rêvaient aux voluptés de l'Orient ont des raisons d'être déçus. Les femmes de Louqsor sont inaccessibles. « Sous un ciel où les sens parlent si fortement, on punit de mort la femme qui manque à la chasteté, constate le docteur Angelin. Malheur même à celle qui, rencontrant un homme, oserait lever les yeux sur lui ; les eaux du Nil deviendraient sa sépulture [6]. »

Les enfants participent à la surveillance, constate Lebas. « Aussitôt qu'un étranger s'approche d'une femme égyptienne, elle est immédiatement suivie par un Arabe qui l'observe à distance. Quant aux jeunes filles, la perte de leur virginité avec un Européen est punie de mort. On lui tranche la tête et le cadavre est jeté dans le Nil [7]. » Le coupable, pris en flagrant

6. Angelin, *Expédition du Luxor*, p. 102-103.
7. Lebas, *L'Obélisque de Luxor*, p. 136.

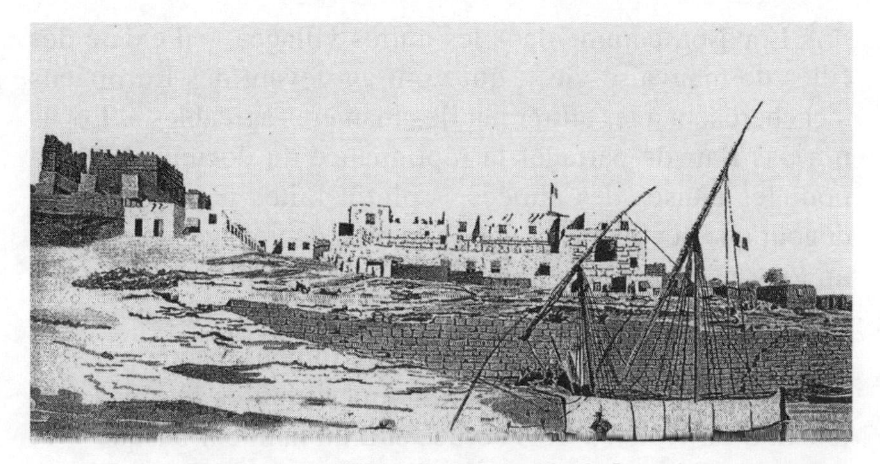

Les logements des Français (dessin de Joannis).

délit, est forcé de se faire musulman s'il veut soustraire la malheureuse à ce supplice.

Les Français n'ont guère l'occasion d'apercevoir des visages féminins. Lorsque le hasard leur fait rencontrer une Égyptienne, celle-ci se cache aussitôt la figure en relevant le devant de sa robe, quitte à dévoiler une autre partie de son corps… Lebas y voit de la coquetterie[8]. Obligées de rester chez elles pendant la journée, les femmes de Louqsor vont, le soir venu, puiser de l'eau dans le Nil. Sous prétexte de s'entraider pour placer de lourdes cruches sur leurs têtes, elles s'attardent au bord du fleuve en bavardant. « Au moment du départ, elles attendent que chacune ait repris sa charge et s'acheminent lentement vers leurs demeures, en continuant leur caquetage. Dans cet état, précise l'ingénieur, les jeunes femmes sont admirables ; leurs belles proportions, leur tenue gracieuse et élégante, le léger vêtement qui voile à peine des formes éclatantes de pureté et de fraîcheur, rappellent par une délicieuse réalité ce que l'imagination et l'art peuvent figurer de plus parfait. »

8. *Ibid.*, p. 131.

À Louqsor, comme dans les autres villages, « il existe des filles de mauvaise vie », qui vont au-devant des Européens « et cherchent à les attirer par des manières agréables ». Lebas n'a pas l'air de partager la répugnance du docteur Angelin pour les danses des almées, « plutôt faites pour exciter le dégoût que la volupté » : dans son récit de voyage, il consacre un long passage à la fameuse scène de l'abeille, décrivant en détail « les mouvements extrêmement lascifs, variés avec art » de ces « sortes de bayadères nomades, toujours accompagnées d'un ou deux hommes et de quelques vieilles femmes, qui jouent d'un violon à trois cordes et d'un tambour basque »[9].

Joannis, lui, raconte l'escale d'un Français du Caire, Joseph Vaissière, ancien officier, demi-aventurier, qui fait du commerce avec l'Abyssinie. Dans son bateau, il transporte une impressionnante collection de fusils, pistolets et armes en tout genre, mais aussi une jeune esclave dont il exhibe volontiers les charmes. Couverte d'un grand voile blanc, elle ne tarde pas à s'en débarrasser pour danser, vêtue seulement d'une « espèce de ceinture en cuir, garnie de longs filaments très serrés, flottant et pendant à mi-cuisses[10] ». La scène semble avoir laissé des souvenirs inoubliables au lieutenant : « Déjà la sueur inondait tout son corps ; ses cheveux, tombés en désordre, s'étaient déroulés sur ses épaules ; ses yeux étaient brillants ; tout son être haletait… » Mais M. Vaissière n'est pas homme à partager son bien : après « des mouvements plus lents et plus convulsifs », la jeune femme s'arrête brusquement, comme si elle sortait d'un rêve, cache sa figure dans ses mains « et s'enfuit dans la pièce voisine »…

9. *Ibid.*, p. 132.
10. Joannis, *Campagne pittoresque du Luxor*, p. 90 à 95.

11

Alerte au choléra

La chambre du chirurgien-major et la pharmacie sont attenantes à un hôpital d'une trentaine de lits, qui va se révéler bien utile. Huit jours après l'arrivée du *Luxor*, une dizaine d'ophtalmies y sont soignées. C'est l'un des maux les plus courants en Égypte, où borgnes et aveugles sont légion. L'armée de Bonaparte avait beaucoup souffert de cette affection, due essentiellement à la poussière nitreuse et aux reflets du soleil. Pour la combattre, le docteur Angelin peut s'appuyer sur plusieurs rapports des médecins militaires de l'Expédition.

L'ophtalmie attaque les riches comme les pauvres, les habitants des villes comme ceux des campagnes. Les animaux – ânes, chiens, bœufs ou chameaux – ne sont pas épargnés. C'est pendant la saison chaude que la maladie présente le plus de risques. Autant dire qu'à Louqsor au mois d'août elle peut faire des ravages. Pons, le jeune chirurgien en second, ne s'en remettra d'ailleurs pas : dès son retour en France, il devra quitter la Marine, sa vue s'étant beaucoup affaiblie en Haute-Égypte.

Autre maladie fréquente : la dysenterie, causée par des amibes ou des bacilles contenus dans l'eau du Nil. Dès le 24 septembre, l'hôpital compte quarante-quatre hommes atteints de cette infection intestinale. Deux d'entre eux succomberont, mais « par imprudence ou indocilité », précise le docteur Angelin[1].

Le lieutenant de Joannis, qui se relève d'une dysenterie, reçoit la visite du commandant du *Luxor*, accompagné de deux officiers, venus lui offrir un serpent pour son bocal à reptiles. Le convalescent, ravi, y reconnaît la grande vipère Haje, étudiée par l'Institut d'Égypte. Il la tient avec des pincettes quand « tout à coup sa gueule s'ouvre, et je sens une pluie fine m'entrer dans les yeux ; je les ferme aussitôt, et une horrible cuisson s'y manifeste instantanément[2] ». Il hurle. Le magasinier, M. Card, se précipite, une petite bouteille à la main. On applique le collyre sur les yeux de Joannis, lequel commence par se tordre de douleur, avant de larmoyer abondamment. Une deuxième application l'endort. Une demi-heure plus tard, sa vue est presque normale. Dès lors, on parlera de « l'eau merveilleuse de M. Card qui fait des miracles »...

Mais un souci bien plus grave attend les officiers de santé. Dans les derniers jours d'août, ils apprennent que le choléra-morbus sévit à Alexandrie et au Caire, probablement amené par des caravanes revenant du pèlerinage à La Mecque. L'épidémie a déjà fait de nombreuses victimes en Basse-Égypte.

Les Français de Louqsor ne tardent pas à voir arriver une demi-douzaine d'embarcations chargées d'Européens, qui fuient le fléau. Ces réfugiés désirent partir encore plus au sud, mais ils n'iront pas au-delà d'Esna, à une cinquantaine de kilomètres de là, et devront rebrousser chemin, car Ibrahim

1. Angelin, *Expédition du Luxor*, p. 55.
2. Joannis, *Campagne pittoresque du Luxor*, p. 78 à 80.

pacha, faisant voile lui aussi vers la Nubie, a établi un cordon sanitaire autour de sa flottille. Il se méfie, dit-on, de ses propres domestiques, au point de faire tout seul sa cuisine. Le comportement du commandant en chef de l'armée égyptienne n'est pas de nature à rassurer les esprits, d'autant que son père, Mohammed Ali, s'est lui-même réfugié sur un navire au large d'Alexandrie. Le maître de l'Égypte a dû changer plusieurs fois de bâtiment, tous ceux de son escadre s'étant trouvés successivement touchés par l'épidémie…

Un médecin italien arrivé à Louqsor précise aux Français que le choléra, au Caire, a « attaqué plus particulièrement les personnes douées d'une faible complexion, pusillanimes et livrées aux boissons spiritueuses », alors que « les individus fortement constitués, tempérants et courageux » y ont été moins sensibles ou s'en sont plus facilement sortis [3].

Tout laisse à penser que la maladie va bientôt atteindre Louqsor. Le 10 septembre est annoncé le décès d'un Turc, arrivé la veille à Gourna, sur l'autre rive du fleuve. Dès le lendemain, le choléra fait ses premières victimes parmi les ouvriers égyptiens de l'obélisque, provoquant un début de panique. Le travail ne cesse pas pour autant : il sera ralenti, mais jamais interrompu. « Personne ne quitta son poste ; nul ne suspendit ses travaux, précise l'ingénieur Lebas. Une seule idée nous animait tous : enlever à l'ancienne capitale du monde civilisé un de ses plus beaux ornements [4]. »

Le commandant Verninac donne une version moins patriotique des sentiments de l'équipage : « L'ingénieur et moi

3. Justin-Pascal Angelin, « Rapport sur l'état sanitaire de la Haute-Égypte pendant l'irruption du choléra-morbus en 1831 », *Annales maritimes et coloniales*, t. 2, 1831.

4. Lebas, *L'Obélisque de Luxor*, p. 69.

n'avons pas cru devoir cesser un instant les travaux [...] Nous avons fait taire l'humanité et ses exigences. Cette dureté apparente a produit un bon effet : le travail, dispersant les marins sur plusieurs points, leur ôte la faculté de communiquer leurs craintes et de se livrer aux pensées fâcheuses de notre position [5]. » Et Lebas précise de son côté la politique suivie par les deux hommes : « Soutenir le courage de nos compatriotes, les empêcher de s'écarter du régime prescrit par le docteur du bâtiment, ne les employer qu'à des travaux spéciaux, les faire suppléer par des Arabes autant que possible, tel était le devoir que nous imposait notre désastreuse position [6]. »

Le docteur Angelin est persuadé que le choléra n'est pas contagieux. C'est également la conviction de son collègue Antoine-Barthélémy Clot, fondateur de l'École de médecine du Caire, qui, au même moment, soigne de nombreux malades dans la capitale. Pour ces praticiens, un miasme a pu infecter l'atmosphère ou modifier les gaz dont elle est composée : des colonnes d'air sèment la maladie, et une chaleur humide favorise son développement, mais elle ne se transmet pas par contact direct d'un individu à un autre.

Angelin veut quand même « mettre [sa] conscience à l'abri de tout accident [7] ». Par l'intermédiaire de Verninac, il demande au gouverneur de la Haute-Égypte d'établir un cordon sanitaire pour intercepter toute communication avec les embarcations qui remonteraient le fleuve. Ce sera fait, mais, malgré ces précautions, un habitant de Gourna va réussir à entrer à Louqsor.

Le lendemain, 11 septembre, on apprend qu'un homme pré-

5. Lettre au ministre de la Marine, Thèbes, 3 octobre 1831.

6. Lebas, *L'Obélisque de Luxor*, p. 70.

7. Angelin, rapport sanitaire.

sente des signes suspects. Angelin se rend aussitôt à son chevet. Le malade, âgé de 30 ans, gît sur une natte. Très pâle, atteint de fortes douleurs à la tête et de vomissements, il a les yeux brillants, la langue blanche et le front couvert d'une sueur froide. Le médecin lui prescrit une boisson adoucissante, ainsi que des réfrigérants sur l'épigastre et des frictions, qui lui permettent de guérir, mais plusieurs femmes et fillettes de Louqsor, atteintes à leur tour par le choléra, succomberont au cours des jours suivants.

Parmi les Français, le premier cas se déclare le 20 septembre. Un matelot est saisi de vomissements, de crampes et de vives douleurs à l'estomac et à la tête. Angelin lui administre une boisson gommeuse et une potion fortement opiacée. À défaut de sangsues, il lui applique deux ventouses scarifiées sur le creux de l'estomac. Peu à peu, le matelot reprend des couleurs et retrouve une température normale.

« Aussitôt que cet incident se manifesta, précise le chirurgien-major, le cholérique fut isolé des autres malades pour prévenir la propagation de la maladie dans le cas qu'elle offrît un caractère contagieux ; des parfums guytoniens et des aspersions de chlorure de chaux furent faites dans tous les lieux suspects [8]. » Ces mesures seront maintenues pendant un certain temps, même quand l'épidémie aura cessé.

Le 23 septembre, un autre matelot est frappé du choléra avec une telle violence qu'il tombe à la renverse et reste pendant plusieurs minutes dans un état de mort apparente. « La couleur cadavérique de la face, la froideur de la peau et la petitesse extrême du pouls me firent concevoir un instant de crainte pour ses jours, raconte le médecin. Bientôt après, il revint de cet état, et rendit par la bouche et par l'anus

8. Id.

des matières vertes, d'une odeur repoussante. Il accusa une vive gastralgie ; ses souffrances étaient inexprimables… » Le matelot est trop faible pour supporter des saignées. Angelin se contente de lui administrer potions, lavements, compresses et frictions, qui l'aideront à se rétablir.

Au total, quinze Français ont été atteints par le choléra. Tous en réchappent, selon le chirurgien-major, qui attribue l'unique décès à une autre cause. On ne peut pas en dire de même des habitants de Louqsor, lesquels ont vu mourir cent vingt-huit d'entre eux, soit le sixième de la population. Le commandant Verninac est impressionné par leurs réactions, qui lui inspirent des sentiments ambigus : « Les malheureux fellahs qu'il [le choléra] frappait n'avaient d'autre boisson que l'eau du Nil, d'autre lit que la terre ; et cependant jamais une plainte, pas même un cri, indiquant leur souffrance ne s'échappèrent de leur bouche. C'est parmi eux qu'on apprend la résignation. C'est au désert qu'est le mépris de la vie, bien mieux que dans les livres des philosophes [9]. »

Le fléau s'éloigne à la mi-octobre, permettant aux Français et à leurs ouvriers égyptiens de reprendre avec plus de vigueur les travaux sur le chantier. Mais l'interruption des communications avec Alexandrie les a empêchés d'obtenir les matériaux qu'ils attendaient pour la construction de la cale de halage. L'abattage de l'obélisque, retardé d'un mois, est fixé maintenant à la fin d'octobre.

9. Verninac, *Voyage du Luxor*, p. 151.

12

Un géant à terre

L'opération est extrêmement délicate. Il faut incliner l'obélisque vers le bas, mais aussi le retenir pour l'empêcher de s'écraser sous son poids. On doit l'amener lentement, et sans secousses, dans une position horizontale, avant de le traîner jusqu'au navire sur un chemin de halage.

Pour le protéger, on l'a enveloppé d'épaisses planches de bois, pressées par des boulons à écrou. Seule l'une de ses arêtes inférieures, sur laquelle il pivotera, est dégagée. L'arête s'emboîtera dans une rotule en chêne, arrondie extérieurement et placée elle-même dans un logement creux. Il a fallu pour cela entailler la base de l'obélisque. Deux rotations successives sont prévues, sur des axes différents. L'obélisque viendra d'abord se reposer en équilibre sur un muret ; puis, un mouvement de bascule relèvera sa base et abaissera son sommet, de manière à le coucher.

D'infinis calculs ont été nécessaires pour établir ces forces contraires. L'ingénieur a couvert des pages entières de formules algébriques et de dessins.

Pour l'abattage, c'est assez simple : le monolithe sera pris

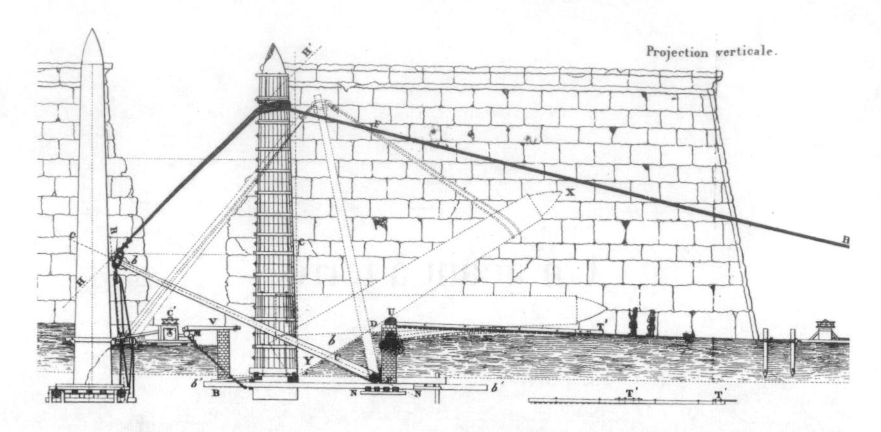

La manœuvre envisagée, selon un dessin de l'ingénieur Lebas.

en cravate par de puissants câbles qui l'inclineront vers le sol. Trois cabestans seront tirés chacun par soixante-quatre hommes.

Le dispositif de freinage est plus complexe, même s'il va occuper beaucoup moins de bras. Lebas envisage de retenir le monolithe comme un mât de vaisseau par un ensemble de cordages déployés en éventail. Les haubans seront solidement attachés sur un chevalet mobile à huit mâts, équipé de moufles et placé contre un mur de soutènement. Chaque corde de retenue viendra s'enrouler sur un treuil, puis sur un mât fixe, pour changer ensuite de direction, passer sur une poulie de renvoi et, après s'être enroulée autour d'un second mât, aboutir dans les mains d'un matelot. Il suffira de huit hommes pour maintenir l'obélisque en équilibre et le laisser descendre avec toute la lenteur nécessaire. Tout a été prévu : même la répartition uniforme, entre les diverses cordes, des tensions inégales exercées par chacun des marins…

Curieusement, la date d'abattage varie d'un récit à l'autre. L'événement aurait eu lieu le 23 octobre 1831 selon Lebas, alors que Verninac et Angelin parlent du 31, et Joannis du

1er novembre… Toujours est-il que la veille de ce jour historique, comme l'écrit le commandant du *Luxor* avec le style emphatique qui le caractérise, « tout est disposé pour abaisser la tête orgueilleuse du superbe monolithe. Le soleil a fourni plus de la moitié de sa course, mais loin encore de l'horizon, il peut éclairer un triomphe. Soit que l'ingénieur désire avoir une nuit pour réfléchir encore à l'ensemble de son appareil, soit que, retenu par une émotion bien naturelle, il redoute le premier ébranlement du colosse, l'instant de sa chute est renvoyé au lendemain[1] ».

Le lendemain donc, au lever du soleil, une foule est massée devant le temple de Louqsor. Le spectacle a attiré toutes les populations des environs, ainsi que les notables des provinces voisines et quelques Européens qui se trouvent sur place, dont l'Anglais Wilkinson.

L'échafaudage qui entourait l'obélisque a été enlevé et des marins ont garni les mâts de drapeaux tricolores, de guirlandes de fleurs et de branches de palmier. Chacun est à son poste. Cent quatre-vingt-dix ouvriers égyptiens, répartis sur les barres des cabestans, attendent le signal convenu. Les huit matelots choisis comme gabiers tiennent à la main les cordes de retenue. « Dans quelques minutes, écrit Lebas, ces hommes seuls vont manœuvrer un fardeau immense, modérer sa rotation, rétablir à volonté son immobilité dans un point quelconque de sa course. Ils sont fiers du rôle important qu'on leur a confié. La plus grande anxiété règne sur toutes les figures[2]… »

À huit heures, le commandant Verninac donne l'ordre attendu. « Aussitôt, raconte l'ingénieur, les cabestans tournent sur leur axe, les cordons des moufles s'allongent, la tension

1. Verninac, *Voyage du Luxor*, p. 194-195.
2. Lebas, *L'Obélisque de Luxor*, p. 81.

augmente, s'accumule, réagit sur le sommet des bigues et, par elles, sur les palans de retenue. La résistance et les frottements sont vaincus, le treuil sollicité par la puissance oscille autour de son axe, roule ensuite sur ses tourillons ; et l'obélisque, enfin détaché de sa base séculaire, incline lentement sa tête pyramidale vers le rivage, entraînant avec lui le chevalet des bigues qui tourne simultanément autour de sa base. »

L'assistance est silencieuse. « Tout le monde semblait dominé par le spectacle imposant de ce monument colossal qui s'abaissait lentement vers l'horizon, sans secousses, sans bruit, maîtrisé seulement par un léger faisceau de mâts, de poulies et de cordages, tout à fait disproportionnés avec l'énormité de la masse en mouvement[3]. »

Mais, soudain, le système s'immobilise. L'officier chargé de diriger les cabestans signale que le point d'appui des moufles d'appel a cédé : les ancres sur lesquelles on s'appuyait s'arrachent de la terre. Quant à la grosse pièce de chêne qui sert de charnière à la base de l'obélisque, elle se tord de manière inquiétante. L'ingénieur ne s'affole pas : les retenues, dit-il, étaient simplement trop tendues, il faut les filer plus vite.

Et la manœuvre reprend. « Vire toujours ! » La rotation se poursuit, le centre de gravité est atteint. Maintenant, il ne s'agit plus d'incliner l'obélisque, mais de le retenir. Les huit gabiers entrent en action. À un signal donné, le monolithe s'immobilise et reste comme suspendu pendant deux minutes. Puis il reprend son mouvement. Le lieutenant de Joannis se souvient : « Le revêtement en bois de l'obélisque, s'asseyant dans toutes ses parties, laissait entendre d'énormes craquements, et lorsque la plus légère secousse avait lieu, une espèce de vibration faisait trembler les bigues. C'est en contempla-

3. Lettre de Lebas au ministre de la Marine, 15 novembre 1831.

L'abattage de l'obélisque occidental (dessin de Joannis).

tion devant ces immenses effets dynamiques, et le cœur plein de la plus vive sollicitude, que nous vîmes s'abattre en vingt-cinq minutes cette admirable aiguille de Luxor[4]. »

Joannis ne se tient plus. On dirait du Verninac : « Les grandes bigues étaient alors verticales, et, comme fières de leur œuvre gigantesque, elles semblaient, en agitant leurs pavillons tricolores et leurs branches de palmiers au-dessus de la Thébaïde, dire à tous les colosses répandus au milieu des ruines : Tremblez ! Car à nous la puissance, à nous la victoire, nous avons terrassé l'un de vos frères. »

4. Joannis, *Campagne pittoresque du Luxor*, p. 87-88.

Au grincement des cordes et des poulies succèdent des cris de joie. La première rotation de l'obélisque est accomplie. Sa face ouest a atteint le cylindre encastré dans le mur, et la charnière de chêne a résisté à l'écrasement. Le monument repose sur le monticule de pierre.

Les Français observent avec émotion la base de l'obélisque, qui est recouverte d'une légère couche de limon. Dégagée, elle laisse apparaître le cartouche de Ramsès II, sculpté sur la semelle. Ils découvrent aussi une sorte de mastic qui avait été introduit dans la fente de la pierre ainsi que sur le pourtour de deux mortaises. Ces cavités sont remplies d'une poussière jaunâtre provenant des débris de deux clés en bois qui avaient été encastrées pour empêcher la fissure de s'agrandir. « Nous fûmes entièrement rassurés, explique Verninac. Cette découverte nous prouva que la rupture était un défaut de la pierre, aussi vieux que l'obélisque, dont les Égyptiens n'avaient pris aucune inquiétude, puisqu'ils avaient supposé que deux frêles morceaux de sycomore suffiraient pour prévenir tout accident[5]. » L'ingénieur Lebas respire : ce système a suffi, pendant plus de trente siècles, à empêcher l'écartement des deux faces du monolithe. À Paris, il suffira de remplacer les clés égyptiennes, tombées en poussière, en prenant toutes les précautions pour que l'humidité ne s'introduise pas dans la pierre.

L'œil de Lebas est attiré ensuite par une rainure demi-circulaire dont l'axe coïncide avec l'arête inférieure de l'obélisque. Tout laisse à penser qu'elle avait servi à loger un cylindre de rotation. Autrement dit, sans le savoir, l'ingénieur français aurait adopté à peu près le même système que les Égyptiens, treize siècles avant Jésus-Christ, pour incliner une

5. Verninac, *Voyage du Luxor*, p. 170.

telle masse. Ce serait assez singulier, note-t-il avec émotion. L'abattage de l'obélisque lui vaudra en tout cas une médaille d'or à l'Exposition des produits de l'industrie, à Paris, en 1834…

Il est neuf heures du matin. Les travailleurs meurent de faim. Un déjeuner est servi, auquel participent les notables locaux et les Européens présents. Le commandant Verninac accorde à ses hommes trois jours de repos, en attendant l'opération suivante. Pour sa part, il s'empresse d'adresser à Champollion une longue lettre :

« Monsieur et illustre compatriote, réjouissez-vous avec nous : le choléra nous a quittés, et l'obélisque occidental de Luxor est tombé sous les plus simples moyens de la mécanique moderne. Nous le tenons enfin, et nous le porterons certainement en France, ce monument qui doit fournir le texte de quelques-unes de vos intéressantes leçons, et faire l'ornement de la capitale. Paris verra ce qu'a pu produire une civilisation antique…[6]. »

Emporté par sa plume, le commandant évoque le despotisme des pharaons, les dieux de l'ancienne Égypte, la révolution opérée par le christianisme, la fraternité entre les hommes… Mais sa mission est loin d'être terminée.

6. *Ibid.*, p. 200 à 203.

13

À fond de cale

Il s'agit maintenant de mener à bien trois manœuvres successives, qui présentent chacune des complications et des risques : d'abord coucher correctement l'obélisque sur le chemin de halage ; puis le déplacer de 400 mètres, jusqu'au Nil ; enfin l'introduire dans le *Luxor*.

Lors de l'abattage, tout ne s'est pas passé comme prévu. L'extrémité du plan incliné, sur laquelle le monolithe devait venir s'appuyer, s'est affaissée sous le poids. Le mouvement de bascule, sur lequel on comptait, n'a pas eu lieu, et l'obélisque a continué à descendre, avant de s'immobiliser. Cette position est très dangereuse : le granit peut se briser, les matériaux les plus durs étant les plus cassants. Il faut absolument que le poids du monolithe ne repose pas sur un point particulier, mais soit réparti sur sa longueur. On doit donc le sortir de cette excavation et le placer au plus vite sur les tabliers.

Lebas improvise un nouveau dispositif, avec palans, moufles et cabestans. On va essayer de soulever la base de l'obélisque et, en même temps, de tirer sa partie supérieure, tout en l'empêchant de glisser sur le plan incliné. Une opération délicate pour laquelle aucune erreur n'est permise.

Le 16 novembre, plus de deux cents paires de bras sont mobilisées. Le signal est donné, mais l'obélisque ne bouge pas d'un pouce. « On excite les hommes à pousser avec plus de vigueur sur les barres, on les anime par un *houra*. À ce signal, les poulies crient ou, en style de marine, chantent ; le filin se tend à outrance, et bientôt la manœuvre est interrompue par la rupture de deux apparaux [1]. » C'est une catastrophe : « Le monolithe avait à parcourir une distance de 400 mètres environ et, dès le début, sans avoir pu gagner un centimètre de terrain, nous perdions une partie des engins qui nous étaient indispensables pour le conduire à destination. »

Lebas revoit son dispositif, une fois de plus. Les plus beaux calculs, commentera-t-il plus tard, peuvent être démentis par la réalité, car ils ne tiennent pas compte forcément du tassement du sol, de la compression des bois et d'une série de facteurs imprévus. « Ce n'est qu'en scène, sur le chantier, et en présence des objets, qu'on peut apprécier la valeur des difficultés. » L'ingénieur de la Marine ne va pas chercher très loin ses métaphores : « la théorie sans la pratique est comme un vaisseau sans voile ni gouvernail », alors que « la pratique sans théorie est comme un vaisseau sans compas » [2].

De nouveaux ordres sont donnés. Toute la journée sera nécessaire pour dégager le tronçon de mâture qui a pénétré dans l'épaisseur du mur, déblayer la terre, tailler des barres de cabestans, installer des vérins, rabaisser les bordages... Finalement, on parvient à asseoir le monolithe sur ses tabliers.

Contrairement à une colonne de forme arrondie ou cubique, l'obélisque ne peut rouler sur lui-même ou être tourné succes-

1. Lebas, *L'Obélisque de Luxor*, p. 85.
2. *Ibid.*, p. 192-193.

L'obélisque traîné jusqu'au navire (dessin de Joannis).

sivement sur ses faces : il faut le traîner jusqu'au navire. Mais ce serait impossible sur le sol nu. Une rampe de bois graissée est également exclue, car elle ferait 400 mètres de longueur. L'ingénieur a donc prévu une chaussée en pièces détachables, composée de quatre tréteaux mis bout à bout, qu'on déplacera au fur et à mesure. Lorsque l'obélisque arrivera à l'extrémité du glissoir, la portion arrière sera retirée et ajustée à l'avant, pour qu'il puisse continuer à avancer.

Ce travail de fourmi, long et harassant, va demander un mois, à raison de quinze heures par jour. « Pour bien juger du temps et de la fatigue d'une telle opération, écrit Verninac, il faut savoir que le terrain était nivelé et battu à mesure que l'obélisque marchait ; que de huit mètres en huit mètres, un tablier était reporté de l'arrière à l'avant du monolithe ; que, par longueur de trente mètres, il fallait élonger les apparaux, reporter en avant les ancres qui servaient de point fixe, changer les cabestans et battre en terre les pieux auxquels ils s'appuyaient[3]. » Une cause supplémentaire de lenteur tient à la fâcheuse tendance de l'obélisque à dévier de sa route pour se jeter tantôt sur la droite, tantôt sur la gauche.

Le *Luxor*, à sec, repose sur un lit de sable. Il a été placé de telle manière que sa proue soit dans l'axe du monument couché, qui s'avance vers lui, la pointe en avant. On démonte son faux pont et une ouverture est pratiquée pour accueillir le monolithe, tandis que deux trous sont percés à l'arrière, dans la carène, pour laisser passer des chaînes, fixées à des ancres. De crainte d'un affaissement, des travaux de maçonnerie ont été réalisés sur plusieurs mètres en avant du navire.

Le 19 décembre, avec d'infinies précautions, l'obélisque est embarqué. Une place lui a été soigneusement choisie dans la cale pour que son centre de gravité corresponde au centre de volume du bâtiment. Lors du voyage en mer, il ne doit en aucun cas se déplacer sous les coups de roulis. On le fixe aussi solidement que possible, en se servant de pièces de bois qui avaient servi à son abattage et son transport jusqu'au Nil.

« Il me serait difficile de peindre la joie, la satisfaction des ouvriers et marins, écrit Lebas. Ce succès si ardemment désiré nous dédommagea en partie de nos peines[4]... » Le gouverneur de la Haute-Égypte, qui arrive le lendemain, s'étonne de ne pas trouver le monstre sur la plage : il était persuadé que l'opération durerait plusieurs jours, et d'ailleurs ne réussirait pas.

3. Verninac, *Voyage du Luxor*, p. 205-206.
4. Lebas, *L'Obélisque de Luxor*, p. 89.

Les aménagements intérieurs du navire sont rétablis : le 25 décembre, après le replacement de la tranche de bois à l'avant, la trace du trait de scie est à peine visible. Pour repartir, le *Luxor* n'a plus qu'à attendre la montée des eaux, au printemps. Démâté, protégé par un double rang de nattes et couvert de sable, il ressemble à « une ruine au milieu des ruines [5] ». Qui pourrait imaginer que cette masse de bois, échouée sur une plage à cinq mètres au-dessus du niveau des eaux et renfermant un monument colossal, sera bientôt soulevée et transportée en France à travers la Méditerranée et l'océan ? Lebas se souvient : « Quoique préparé d'avance à la régénération périodique du Nil, on ne pouvait se défendre d'une certaine inquiétude, en considérant l'immense nappe de fluide que nécessiterait la production de ce phénomène [6]. »

5. *Ibid.*, p. 116.
6. *Ibid.*

14

En attendant la crue

Pendant que les Français étaient occupés à traîner l'obélisque, le village de Louqsor vivait des moments difficiles. Un nouvel administrateur turc a marqué son arrivée par des brutalités inouïes. N'ayant pas pu cultiver toute la portion de terrain qui leur était assignée, des paysans ont d'abord reçu la bastonnade. Puis le *cachef* a ordonné de leur couper le nez et les oreilles. Précisions de Verninac : « Ces infortunés, au nombre de douze, supportèrent sans se plaindre cette douloureuse opération. Quelques-uns, les moins coupables sans doute, parvinrent à sauver leurs oreilles. » Le commandant du *Luxor* dénonce les faits au gouverneur de la Haute-Égypte. Pour toute sanction, le despote sera muté dans un autre village[1]...

En attendant l'inondation qui doit permettre à leur navire de flotter à nouveau, les Français vont pouvoir s'offrir quelques semaines de détente. Déjà, le lieutenant de Joannis s'est embarqué avec Jaurès, Silvestre, Baude et Pons en direction du sud. La petite embarcation qu'ils occupent navigue au gré de leurs humeurs : « On mettait pied à terre, visitait les

1. Verninac, *Voyage du Luxor*, p. 318.

Le Luxor *à sec et recouvert de nattes (dessin de Joannis).*

rivages, faisait la peau aux lièvres, aux perdrix, aux tourterelles[2]... »

L'ingénieur Lebas ne va pas tarder à partir de son côté, en compagnie de son jeune domestique et de cinq marins locaux. Jusqu'ici, il n'a guère eu le temps d'examiner les antiquités. La partie la plus méridionale du pays l'intéresse d'autant plus que la *Description de l'Égypte*, établie par les savants de Bonaparte, ne va pas au-delà de la première cataracte.

L'ingénieur s'arrête à chaque site remarquable : Esna, Edfou, Kom Ombo... Son domestique est terrorisé par les voleurs qui, paraît-il, s'introduisent la nuit dans les bateaux, nus, les membres huilés, des poignards attachés aux pieds et aux jambes. Ce sont d'excellents nageurs, capables, si l'on tire sur eux, de disparaître aussitôt dans les eaux noires du fleuve[3].

2. Joannis, *Campagne pittoresque du Luxor*, p. 104-105.
3. Lebas, *L'Obélisque de Luxor*, p. 99.

Près d'Assouan, Lebas ne manque pas d'aller visiter les carrières de granit. Il admire cette pierre unique au monde, dont la couleur rose est parsemée de taches noires et blanches. Les entailles faites dans la roche lui paraissent « aussi fraîches que si elles avaient été exécutées de la veille » : on dirait que la pointe de l'outil vient à peine d'y passer... Il se fait conduire à l'endroit où gît un immense obélisque inachevé. Le monolithe, encore retenu au sol par l'une de ses faces, avait sans doute été abandonné après l'apparition de profondes fissures. Long de 41,75 mètres, il aurait pesé plus de 1 100 tonnes !

L'ingénieur continue sa descente vers le sud. Dans le village de Derr, sur la rive droite du Nil, presque en face du temple d'Amada, il assiste à une scène tragiquement banale : la vente d'esclaves, arrachés au cœur de l'Afrique. « On les conduisait au Caire ; mais le marchand s'arrêtait partout où on lui proposait d'en acheter. Ici, plusieurs amateurs s'étaient présentés, on fit sortir successivement devant eux les femmes noires qui étaient renfermées dans une chambre commune, établie sur l'arrière du bateau ; les acheteurs avec le plus grand soin, examinaient toutes les jointures, la tête, les yeux, le sein, le cou, les ongles, les oreilles, les pieds. On les faisait marcher devant eux ; on les tournait et retournait, comme fait le maquignon, lorsqu'il marchande des chevaux à la foire. Pendant cet examen, la figure de l'acheteur montre la plus parfaite indifférence, l'oubli le plus absolu de tout sentiment d'humanité [4]. »

Lebas pousse son périple jusqu'à Abou Simbel. Il se donne trois jours pour admirer les magnifiques temples creusés dans la montagne pour Ramsès II et son épouse Néfertari. Le groupe des officiers qui l'y a précédé ne s'est apparemment pas montré insensible au charme des Nubiennes, comme en

4. *Ibid.*, p. 108.

témoigne ce souvenir champêtre de Joannis, aux abords d'un village : « Nous y trouvâmes un rassemblement de fort jolies femmes, toutes occupées à quelque ouvrage différent, et assises sur un banc construit en terre noire ; notre conversation avec elles fut des plus joviales ; nous fîmes jusqu'à visiter les diverses parties de leurs ajustements, telles que bracelets, colliers, etc., afin de les observer de plus près : elles s'y prêtèrent avec assez de complaisance [5]. » Pour des récits plus détaillés, il faudra attendre Flaubert, quelques années plus tard…

À son tour, le docteur Angelin met la voile vers le sud le 30 janvier, en compagnie d'autres membres du *Luxor*. Même parcours, et même émotion aux environs d'Assouan, au moment de franchir la première cataracte. C'est l'endroit où le Nil passe en bouillonnant entre les rochers. Il vaut mieux quitter provisoirement l'embarcation tandis que les bateliers la tirent avec une corde, à contre-courant, et se jettent à l'eau si nécessaire pour la remettre à flot.

Angelin est de retour à Louqsor le 11 mars. Ce jour-là, le maître-forgeron vient le prier de lui prêter son fusil et son attirail de chasse. « Je n'avais pas cru devoir accéder à sa demande, raconte le médecin. Que n'ai-je, pour ce malheureux, persisté dans mon refus ! Le lendemain soir il m'adressa la même prière avec tant d'insistance que je n'eus pas la force de lui résister. Le 13 au matin, donc, il partit ; mais pour ne plus revenir. Il se sera sans doute engagé trop avant dans le désert, et les Arabes l'auront assassiné pour le dépouiller [6]. » Toutes les recherches engagées pour le retrouver resteront infructueuses.

Des précautions exceptionnelles sont prises quelques semaines

5. Joannis, *Campagne pittoresque du Luxor*, p. 130-131.
6. Angelin, *Expédition du Luxor*, p. 86-87.

plus tard quand trois officiers, Baude, Blanc et Jaurès, décident de faire une excursion jusqu'à la mer Rouge. « Ils partirent, précise le médecin, sous l'escorte de sept Arabes, qui répondaient d'eux sur leur tête : telles étaient les conditions du *maamour* de la Haute-Égypte. Aussi les pauvres Arabes, qui connaissaient la valeur de ces paroles de sang, firent si bien qu'il n'arriva aucune malencontre à notre petite caravane [7]. » Les accompagnateurs avaient mis tout l'arsenal de leur village à contribution : deux fusils et trois pistolets, les uns sans chien et les autres sans pierre. Au retour, ils reçurent en récompense… un peu de poudre pour nourrir leurs armes.

À Louqsor, les Français occupent leurs journées en allant chasser dans les environs ou explorer les tombeaux pharaoniques sur l'autre rive du fleuve. Ces fouilles ne donnent pas grand-chose, jusqu'au jour où une cavité dans la montagne conduit le lieutenant de Joannis et ses camarades à une salle pleine de débris. La tombe a été pillée, mais une seconde pièce contient un magnifique sarcophage en basalte où reposent les restes d'une momie. Malgré son poids, l'objet sera hissé – à grand peine – jusqu'à la sortie, avant d'être embarqué sur le *Luxor* et transporté à Paris. Champollion-Figeac l'attribuera à la reine Onknas. « Nos fouilles n'eurent pas d'autres résultats, si ce n'est de nous préserver de l'ennui pendant deux mois », précise Joannis, qui peut au moins consacrer du temps à ses aquarelles [8].

L'histoire naturelle est une autre source de délassement. Le commandant en second et l'élève-officier Jaurès enrichissent leurs collections en faisant appel à une main-d'œuvre locale [9]. Des enfants du village capturent pour eux des insectes, tandis

7. *Ibid.*, p. 98.
8. Joannis, *Campagne pittoresque du Luxor*, p. 145.
9. *Ibid.*, p. 148.

qu'un vieux pêcheur copte leur apporte chaque jour des poissons du Nil. Ils empaillent eux-mêmes des oiseaux de diverses espèces, régulièrement fournies par un chasseur. De nombreuses pièces seront rapportées en France et enrichiront la ménagerie ou le musée du Jardin des Plantes à Paris.

Joannis s'intéresse spécialement aux oiseaux, dont il rend compte en détail dans son récit de voyage. Entre les ibis verts, les cigognes, les oies, les hérons, les pélicans, les vanneaux armés et les perdrix du désert, il ne sait plus où donner des yeux. L'un des volatiles qui l'intrigue le plus est le *chadrius notilicus*. Volant avec agilité à la surface du fleuve, cet oiseau au plumage bleu ciel coupé de bandes noires et blanches se nourrit d'insectes dans la gueule ouverte des crocodiles endormis…

Le lieutenant de Joannis est appelé néanmoins à une tâche moins ludique : remplacer Verninac, qui doit se rendre en Basse-Égypte avec l'ingénieur Lebas pour régler des questions en suspens. Le commandant du *Luxor* réclame en effet, depuis un moment, l'envoi de péniches pour la descente du Nil et la présence d'un bateau à vapeur pour être remorqué en Méditerranée. Il reviendra d'Alexandrie sans avoir vu paraître ni les péniches ni le bateau.

Son voyage lui aura permis au moins d'examiner les deux embouchures du Nil, pour en tirer des conclusions négatives : la barre de Rosette serait aussi difficile à franchir pour sortir du fleuve qu'elle l'a été pour y entrer. Quant à celle de Damiette, mieux vaut ne pas y penser : tout aussi périlleuse, elle présente l'inconvénient supplémentaire de se trouver au bout d'une branche étroite et très tortueuse du Nil.

Le passage en Méditerranée ne sera pas une promenade.

15

Le spleen

De retour, Verninac est frappé par la mauvaise santé de ses collaborateurs. « Il m'a semblé revoir les fantômes de l'équipage que j'avais laissé deux mois auparavant[1]. » Tous les officiers, y compris Joannis, ont été malades. Le vent de *khamsin*, soufflant par intermittence pendant cette période de l'année, les accable. Lebas en fait une description insupportable : « Le beau ciel de la Thébaïde, ordinairement si serein, est obscurci subitement par des nuages d'une poussière qui, divisée en ses plus petits éléments, couvre et pénètre tous les objets. Les sables du désert, soulevés comme les flots d'une mer irritée, inondent les terres cultivables et y répandent la désolation. L'atmosphère, chargée de calorique, sèche la peau, oppresse les poumons, irrite les nerfs et s'attache à la gorge. Les mains sont brûlantes ; on mouche et on crache le sable, les sentiments de plaisir vous abandonnent, la faiblesse s'empare de vos membres et provoque un malaise général, une mélancolie qui appesantit les esprits et consume le principe de la vie[2]. »

1. Lettre au ministre de la Marine, Thèbes, 7 juillet 1832.
2. Lebas, *L'Obélisque de Luxor*, p. 137-138.

Ce que le lieutenant de Joannis voit de sa fenêtre.

Pire que le sable et la chaleur, en effet, les Français commencent à subir le spleen. Une trentaine d'années plus tôt, quand l'Expédition d'Égypte battait de l'aile, militaires et civils éprouvaient le même mal du pays. « Ici, je suis complètement inutile, j'ai rempli mon objet », écrivait alors le zoologiste Geoffroy Saint-Hilaire. Ce sont des mots presque identiques qu'emploie le docteur Angelin dans son récit : « Nous étions tous fatigués du séjour de la Haute-Égypte. Désormais, nous n'avions plus rien à voir dans cette contrée ; nous étions pour ainsi dire aussi rassasiés de ses merveilles que fatigués de son soleil[3]. »

Que se passe-t-il en France pendant ce temps d'oisiveté forcée ? Les membres de la mission ne peuvent en être informés que par bribes, et avec retard.

3. Angelin, *Expédition du Luxor*, p. 102.

En mars, le choléra est arrivé à Paris. Il y a fait au moins 16 000 morts, parmi lesquels le président du Conseil, Casimir-Perier, qui s'était rendu au chevet de malades hospitalisés à l'Hôtel-Dieu. Un climat de panique règne dans plusieurs villes de province et aggrave les troubles sociaux : les pauvres ne payent-ils pas le plus lourd tribut à l'épidémie ?

Le choléra a été précédé d'une véritable insurrection à Lyon, où les ouvriers du textile réclamaient de meilleurs salaires. Pour reconquérir la ville, il a fallu envoyer l'armée. C'est ensuite à Grenoble qu'une sédition a éclaté, en plein Carnaval. Paris, à son tour, a connu des émeutes à l'instigation des républicains, tandis que l'opposition légitimiste s'agitait en Vendée… Le pouvoir de Louis-Philippe est attaqué de toutes parts. Daumier a écopé de six mois de prison pour avoir violemment caricaturé le roi. La duchesse de Berry, rentrée clandestinement en France, a essayé de fomenter un complot, avant d'être arrêtée.

L'égyptologie, elle, est en deuil. Avec tristesse, le commandant Verninac apprend que son ami Jean-François Champollion, diabétique et phtisique, s'est éteint le 4 mars, à l'âge de 41 ans, alors qu'il venait à peine d'inaugurer sa chaire au Collège de France. Selon ses dernières volontés, il a été enterré au Père-Lachaise, près de la tombe de Fourier, l'un des savants de l'Expédition d'Égypte. La sépulture du déchiffreur des hiéroglyphes sera ornée d'un obélisque de grès. Sa ville natale, Figeac, veut également l'honorer par un monument funéraire : une souscription est lancée pour… un autre obélisque, qui sera édifié quatre ans plus tard.

Wilkinson, l'égyptologue anglais qui avait assisté à l'abattage de l'obélisque de Louqsor, rend hommage au défunt, le 17 avril, dans une lettre à Verninac. Avec un pessimisme excessif, il s'inquiète pour l'avenir de l'égyptologie : « La torche est tombée à terre et personne n'est capable de la ramasser. »

Les Français ont appris aussi que les relations entre l'Égypte et la Turquie se sont tendues dangereusement à l'occasion du siège de Saint-Jean-d'Acre. Verninac croit utile d'écrire au commandant des forces navales françaises au Levant pour lui demander de veiller sur le *Luxor* « et d'assurer sa libre descente, quelle que soit la lutte qui s'engage entre Paris et Constantinople ». Mais il semble sûr de lui : « Nous avons des armes, nous sommes cent vingt, et cent vingt hommes armés sont bien forts dans un pays comme celui-ci[4]. »

La chaleur en Haute-Égypte commence à devenir insupportable. Trois membres de l'expédition meurent de dysenterie au début de juin. Vers le 15 du mois, les marins et ouvriers atteints de cette maladie sont si nombreux que l'hôpital affiche complet. Faute de place, certains seront envoyés à Alexandrie. Inquiets, découragés, les malades accusent la médecine de ne pas leur venir en aide et demandent avec insistance d'être rapatriés. À la demande du chirurgien-major, Verninac doit faire une allocution à l'hôpital pour remonter le moral des troupes. Mais le médecin lui-même sera atteint d'une congestion cérébrale, heureusement soignée avec efficacité par son jeune adjoint, Pons.

Pourquoi la crue n'est-elle pas déjà là ? « On aurait dit que les dieux égyptiens voulaient nous punir de leur avoir enlevé l'une de leurs merveilles », écrit Angelin[5]. Tous les

4. Lettre du 1er avril 1832 au contre-amiral Hugon.
5. Angelin, *Expédition du Luxor*, p. 103-104.

soirs, on s'interroge sur la montée des eaux. Des paris sont ouverts.

Pendant cette attente fébrile, les Français vont assister à un triste événement. Une levée générale a été ordonnée par Mohammed Ali pour compenser les pertes subies par son armée à la bataille de Saint-Jean-d'Acre. « Cet ordre fut exécuté dans la Haute-Égypte avec une cruelle rigueur, précise Verninac. Toute la population vigoureuse, jetée pieds et poings liés dans des barques, fut dirigée sur Le Caire pour y recevoir une dernière destination. Les habitants de la partie occidentale de Thèbes s'étant soustraits par la force à cette mesure furent traqués comme des bêtes fauves et traités individuellement d'une manière horrible. Leur cheikh fut enlevé et conduit au chef-lieu de la province. C'était un homme énergique, on s'en débarrassa en le faisant mourir dans les tortures [6]. »

La crue s'annonce enfin, par de petites oscillations dans le fleuve. À mesure qu'elle progresse, l'eau devient de plus en plus verte. Cette couleur est de bon augure : l'inondation sera belle, assure-t-on aux Français, qui ne demandent qu'à le croire. Les femmes du village la célèbrent le soir, sur les bords du fleuve, par des chants religieux. Les quilles du *Luxor* commencent à être baignées.

« Jusqu'au 30 juillet, raconte Lebas, l'eau monta assez rapidement. La nappe du fluide s'étendait de plus en plus sur les deux rives ; une seule pensée nous absorbait la nuit et le jour ; à chaque heure, à chaque minute, on venait rendre visite au nilomètre ; quelques-uns, plus impatients de revoir la mère-patrie et tourmentés par une horrible incertitude, passaient une

6. Verninac, *Voyage du Luxor*, p. 357.

partie de la nuit à examiner les progrès du Nil. C'était un spectacle curieux de les voir se pencher sur les bords, chercher à tâtons des repères placés d'avance, se réjouir ou s'attrister selon les résultats de leur observation [7]. »

Des fossés ont été creusés sous les flancs du *Luxor* pour lui permettre d'être à flot le plus vite possible. Le matériel à embarquer est entreposé sur le rivage. Le reste sera chargé sur des bateaux du pays.

Le 5 août, enfin, le navire ressemble à une île. C'est l'enthousiasme. Mais le 6, à la stupeur générale, le fleuve baisse, et ce mouvement continue les jours suivants. Consulté, le plus vieil imam de Louqsor rassure les Français : tel un cheval fougueux, après une longue course, le Nil souffle pour prendre haleine ; il reviendra en force, surtout si deux moutons sont offerts à la mosquée…

La prédiction se réalise le 18 août : le navire, chargé de l'obélisque, quitte le lit où il reposait depuis un an et mouille désormais dans l'axe du courant. On pavoise. Verninac parle de « la joie immense qui pénétra nos cœurs, à la vue du *Luxor* louvoyant de toute la longueur de son câble, et comme impatient de dériver à la mer […] Le retour n'était plus un rêve, et le cauchemar permanent que nous donnait la crainte d'une inondation insuffisante s'était évanoui [8]. »

Les péniches ne sont toujours pas arrivées. Tant pis, on décide de s'en passer. L'ancre est levée une semaine plus tard, destination Méditerranée.

7. Lebas, *L'Obélisque de Luxor*, p. 143.
8. Verninac, *Voyage du Luxor*, p. 379.

16

Portés par le courant

« Le 26 août, à la pointe du jour, le bâtiment était entouré de tous nos amis de Luxor, écrit le commandant Verninac de sa plume grandiloquente. Ceux qui n'avaient pu venir en barques bordaient le rivage et nous envoyaient, par des cris longuement modulés, leurs derniers adieux. Les autres étaient montés à bord, et nous témoignaient par les manières les plus touchantes le regret de notre départ. Qu'avions-nous fait pour gagner leur affection ? Nous avions été humains et justes ; et la justice et l'humanité ont des droits sur le cœur de tous les hommes. Ces braves gens qui n'avaient pas une larme pour la douleur, sous le bâton de leurs maîtres, en avaient pour l'attendrissement ; la reconnaissance pouvait sur leur âme plus que la souffrance. Ils paraissaient si profondément affligés qu'ils nous rendaient la séparation pénible, et cependant nous avions la France devant nous[1]. »

En seize mois, douze Français sont morts. Une vingtaine d'autres, chez qui la dysenterie a atteint un caractère chronique, ont été envoyés à Alexandrie. Beaucoup de matelots,

1. Verninac, *Voyage du Luxor*, p. 388-389.

malades ou fatigués, n'étant pas en état de remplir leurs fonctions à bord, on embarque une soixantaine d'Égyptiens de Louqsor pour assurer les tâches les plus rudes.

Remonter le Nil n'avait pas été une mince affaire. Le descendre apparaît encore plus compliqué. Il faut se laisser porter par le courant, mais en modérant la vitesse du bâtiment pour ne pas en perdre le contrôle. Comment utiliser au mieux les voiles ? Selon la force de la brise, le petit hunier sera serré, déployé ou amené. Le *Luxor* présente alternativement ses deux côtés au vent, se rapprochant tantôt d'une rive, tantôt de l'autre, pour éviter les bancs de sable. Cette technique donne des résultats satisfaisants, sauf dans les endroits où le Nil est trop sinueux.

Le fameux coude de Gamouleh, où l'on avait tant peiné à l'aller, est l'occasion d'une manœuvre audacieuse : voiles gonflées, le navire descend à grande vitesse, au risque de rencontrer un obstacle. Les palmiers défilent sur les rives à une allure affolante [2]. Heureusement, le *Luxor* ne trouvera aucun banc de sable sur sa route. Verninac juge prudent de ne pas recommencer l'expérience : désormais, pour freiner le bâtiment avant un changement de direction, on laissera traîner une ancre incomplète au fond de l'eau.

Près de Dendera, voici qu'arrivent enfin les fameuses péniches ! Elles ne peuvent servir à grand-chose, les marins locaux n'ayant pas été exercés à leur maniement. On s'en servira simplement pour élonger des ancres dans les échouages.

Le lendemain, une erreur de navigation conduit le *Luxor* à heurter violemment une rive argileuse taillée à pic. Il y laisse l'empreinte de sa proue avant de s'en détacher. Une petite ancre, mouillée à la hâte pour amortir le choc, a été perdue avec son câble.

2. Joannis, *Campagne pittoresque du Luxor*, p. 174.

Nouvel incident le 31 août, après une journée d'immobilité. À l'aube, le navire est sur le point de se remettre en route quand l'ancre du fond refuse de se détacher. Diverses manœuvres sont entreprises pour la faire céder, sans succès. Soudain, les poulies d'apparaux éclatent, et les rouets volent au loin dans le Nil, passant au-dessus de la tête des matelots. Autant dire qu'une catastrophe a été évitée de justesse.

L'ancre est abandonnée. Mais le *Luxor* n'a pas fait deux kilomètres qu'il s'enfonce sur un banc de sable. On essaie vainement de l'en sortir. Les heures passent, et la situation s'aggrave. L'équipage, à bout de forces, n'a pas mangé de la journée. À minuit, l'ordre est donné de décharger le bâtiment, lorsqu'une violente rafale frappe sur ses voiles et le remet à flot…

On ne peut plus se permettre de prendre de tels risques. Il est décidé que deux bateaux, chargés du matériel, précéderont désormais le *Luxor* et lui signaleront, toutes les dix minutes, les résultats de leurs sondages. Un troisième le suivra, pour élonger si nécessaire ses ancres à la voile.

Le 7 septembre enfin, le navire mouille à Assiout. Un grand dîner est offert aux Français par le gouverneur de la Haute-Égypte. À cette occasion, il leur fait savoir qu'Ibrahim pacha a remporté plusieurs victoires sur l'armée ottomane et pourrait même marcher sur Constantinople. Ce somptueux festin est copieusement arrosé : « Si l'on avait mangé moitié à la turque et moitié à la française, raconte Verninac, on but tout à fait à l'anglaise pendant le dessert. Le champagne, le malaga et le chypre passèrent pendant une heure, et achevèrent ce que la chaleur du lieu avait commencé. Il nous reste à peine quelque ombre de raison [3]. » La joyeuse réunion se termine

3. Verninac, *Voyage du Luxor*, p. 398-399.

par des chants, accompagnés d'une clarinette, d'une flûte et d'un violon. Mais *La Marseillaise* sera interprétée de manière tellement grotesque que les Français demanderont que l'on fasse taire les musiciens…

Les fatigues occasionnées par la navigation jusqu'à Assiout ont ramené la dysenterie à bord. Le 8 septembre, Verninac décide de faire évacuer les malades : un bateau les conduira à Rosette, où ils pourront se soigner dans de meilleures conditions.

Plusieurs incidents vont marquer encore le trajet jusqu'au Caire. Le navire heurte les rives ou s'échoue à plusieurs reprises sur des bancs de sable. Une fois, il faudra plus de trente heures d'efforts pour le dégager. Le 22 septembre enfin, la capitale est en vue. On mouillera à l'écart, entre Guizeh et l'île de Roda, pour se soustraire aux curiosités de la foule. Cela n'empêche pas diverses embarcations de venir à la rencontre du *Luxor*. L'une d'elles, prise en travers par le courant, sombre non loin de lui. Trois Européennes se débattent dans l'eau. Jaurès et plusieurs matelots plongent aussitôt et réussissent à les sauver[4].

D'autres dames, arméniennes, syriennes et juives, seront reçues à bord, pour le plus grand plaisir de l'équipage. Joannis décrit l'arrivée de ces visiteuses, voilées de la tête aux pieds : « Des masques en mousseline blanche, ornés de paillettes, cachaient entièrement leur figure et ne laissaient apercevoir que leurs yeux qui sont en général fort beaux[5]. » Faisant assaut de galanterie, on les incite à quitter leur voile, sous prétexte que les usages français l'exigent. Les invitées se consultent du regard et étouffent quelques rires. Les épingles

4. *Ibid.*, p. 405.
5. Joannis, *Campagne pittoresque du Luxor*, p. 178-179.

sautent, laissant apparaître de charmants visages, soigneusement maquillés. Et c'est au bras des officiers que ces dames acceptent, sans répugnance, de visiter le navire.

17

Un hiver de plus

Le *Luxor* arrive à Rosette le 2 octobre 1832, trente-huit jours après avoir quitté son port d'attache. Une mauvaise nouvelle attend l'équipage : la barre, qui contenait beaucoup d'eau deux semaines plus tôt, n'est plus praticable. Il faut aller mouiller près d'une plage de sable, non loin de l'embouchure, pour être prêt à passer dès qu'une occasion se présentera. La barre offre 2 mètres de fond, alors que le bâtiment, déchargé au maximum, a besoin de 20 centimètres de plus. Verninac enrage : ce navire a été mal conçu. « Par une fausse estimation du poids de l'obélisque, écrit-il, par de faux renseignements sur le Nil, sa construction n'avait été combinée que pour la rivière de Seine et le passage de ses ponts [1]. »

Des sondages quotidiens sont faits, aussi décevants les uns que les autres. Après cinquante jours d'attente, on se résigne à demander à la technique ce que refuse la nature : deux grands pontons, tirant moins d'eau que le *Luxor*, ne pourraient-ils pas permettre de soulever celui-ci et de le faire passer dans la mer ? Mohammed Ali, sollicité, fournit deux bâtiments, qui ne

1. Verninac, *Voyage du Luxor*, p. 407.

conviendront pas. L'ingénieur Lebas propose alors d'en construire de plus grands, et le pacha, toujours conciliant, ordonne aussitôt à l'arsenal d'Alexandrie de les réaliser.

Dans l'attente, il n'est pas nécessaire de rester sur cette plage, loin de tout : le navire remonte à Rosette, pour y prendre des quartiers d'hiver. Les beaux jardins qui entourent la ville permettront aux Français de flâner, en se gavant de dattes, de bananes et d'oranges. « Nous avions pris notre parti en braves, écrit Joannis, et notre délivrance ne nous apparaissait plus qu'au travers d'un brouillard fort épais. Nos seules distractions étaient la grande place de Rosette, où se faisait alors la battue de riz [2]. » Les hommes de l'obélisque apprennent à fumer le narghileh et à fréquenter les bains turcs. « Quelques-uns d'entre nous, ajoute l'officier, avaient su se créer, en outre, des plaisirs domestiques », ce qui laisse entendre qu'ils étaient en ménage avec des femmes, sans doute chrétiennes.

Fin décembre, à la suite d'un violent coup de vent, on annonce inopinément au commandant que l'embouchure a été bouleversée : elle compte peut-être assez d'eau pour permettre au *Luxor* de passer. Il se rend aussitôt sur place et, avec l'aide des marins locaux, couvre la nouvelle barre d'un réseau de sondes, en définissant un canal légèrement courbé. Branle-bas de combat. En trente-six heures, le navire est remâté, regréé et déchargé de tout poids inutile. « C'est un des plus forts travaux qui aient été faits en marine, surtout si l'on considère qu'il a été exécuté par 80 hommes déjà si maltraités par un séjour de 15 mois dans la Haute-Égypte », écrira Verninac au ministre de la Marine [3].

2. Joannis, *Campagne pittoresque du Luxor*, p. 182.

Le Sphinx, *navire à vapeur, doté de deux roues à aube.*

Le 1er janvier 1833, à midi, le bâtiment parvient près de la barre, dont le fond n'a pas changé. Le commandant accorde un repos d'une heure et demie à ses hommes. La corvette à vapeur le *Sphinx*, qu'il a fait appeler, mouille au large.

Par une brise légère, le *Luxor* largue ses premières amarres. Il s'avance dans l'étroit passage, d'où le vent et le courant vont tenter constamment de le faire sortir. Le temps a un peu fraîchi, la mer est plus creuse. À plusieurs reprises, le bâtiment touche le fond. L'équipage ne dispose que de trois amarres à jets, qu'il doit déplacer sans cesse au moyen de deux péniches. C'est une opération fastidieuse, surtout dans des eaux aussi remuantes.

La nuit commence à tomber. Aux marins exténués, on distribue du vin et des biscuits. Il faut absolument passer,

3. Lettre au ministre de la Marine, Alexandrie, 9 janvier 1833.

il n'y a pas d'autre choix. La manœuvre reprend. Porté de secousse en secousse, le navire parvient enfin à la limite des petits fonds. Les amarres sont lâchées, le grelin de poupe est coupé. Entraîné par le vent et le courant, le *Luxor* reprend contact avec l'eau salée pour la première fois depuis dix-huit mois. *Barra, khalass !* (dehors, c'est fini !), crie le pilote égyptien. Oui, c'est fini : il ne reste plus qu'à se faire remorquer par le *Sphinx*. Et le 2 janvier, par un temps magnifique, c'est l'arrivée à Alexandrie.

« Une foule d'amis s'intéressant au succès de l'expédition vinrent à bord nous féliciter sur notre heureuse délivrance », raconte Joannis, qui ajoute cependant : « Bien des vanités furent froissées par notre réussite ; bien des envies furent aiguillonnées. » Parmi ces jaloux, il y a des Français, qui auraient désiré « voir échouer le *Luxor*, ou bogasser (comme ils disaient), c'est-à-dire rester près du Bogaz, sans pouvoir franchir la barre [4]. »

Traverser la Méditerranée en cette saison présente des risques qui ne peuvent être pris avec un chargement aussi précieux. Le *Luxor* a d'ailleurs besoin de réparations. Pour plus de sécurité, il est décidé d'attendre le printemps.

Plusieurs négociants d'Alexandrie ouvrent leurs salons aux vainqueurs de l'obélisque. « Les bals se succédèrent sans interruption ; ils vinrent, ainsi que les aimables Alexandrines, nous faire oublier nos ennuis et nos malheurs passés », précise Joannis. L'un des Européens les plus accueillants est le vice-consul de France, un certain Ferdinand de Lesseps, qui fera parler de lui vingt-cinq ans plus tard pour une autre entreprise, encore plus audacieuse : le percement du canal de Suez…

4. Joannis, *Campagne pittoresque du Luxor*, p. 187.

Le docteur Angelin confirme les propos de Joannis : « Peu de séjours m'offrirent autant d'agréments que celui-ci pendant les trois mois que nous y passâmes. Je dus cet avantage au succès avec lequel je traitai deux malades qu'un médecin anglais venait de condamner. Ces cures firent tant de bruit dans la ville que toutes les bonnes maisons me furent ouvertes ; je devins le médecin à la mode, et mon couvert se trouvait mis tous les jours sur trente tables différentes. En retour, les médecins du lieu me rendaient en aversion ce que les habitants m'accordaient en bonnes grâces [5]. »

Les succès militaires de Mohammed Ali enivrent la ville d'Alexandrie. Les négociants européens sont ravis de la tournure prise par les événements. Ils rivalisent d'attentions et de flagornerie à l'égard du pacha dont la bonne fortune ne peut que servir leurs intérêts.

Le commandant Verninac a pris sur lui de retenir le *Sphinx* à Alexandrie. Pas question de le laisser se rendre à Toulon dans l'intervalle : « L'envoyer en France pour le faire revenir aussitôt n'aurait d'autre avantage que de brûler du charbon, d'avarier peut-être sa machine par un double trajet de cinq cents lieues, et de nous le rendre inutile au moment du besoin [6]. » Qui sait d'ailleurs si ce navire à vapeur, qu'il a eu tant de mal à obtenir, ne sera pas appelé pour une autre tâche ?

Le *Sphinx* intéresse beaucoup de monde, en effet. À commencer par le consul général de France, Mimaut, qui voudrait le mettre pendant quelques jours au service de la diplomatie : jouant les médiateurs entre Mohammed Ali et le sultan, la France a obtenu une suspension des hostilités et proposé un compromis. Celui-ci semble être accepté par les deux parties,

5. Angelin, *Expédition du Luxor*, p. 108.
6. Lettre au ministre de la Marine, Alexandrie, 3 janvier 1833.

mais le négociateur ottoman a besoin de regagner Constantinople pour demander une approbation. Seul le *Sphinx* pourrait lui permettre de le faire rapidement. Sollicité par Mimaut, Verninac refuse, au risque de déplaire au maître de l'Égypte et de s'attirer les foudres de son gouvernement. Mais, entre-temps, le Turc s'est rendu au Caire, on ne sait trop pourquoi. L'incident restera sans conséquence.

18

Le *Sphinx* dans la tempête

L'hiver s'achève, et les derniers préparatifs sont terminés. Le 25 mars 1833, le commandant Verninac va rendre une dernière visite à Mohammed Ali, dont il rapporte les propos en ces termes : « Je n'ai rien fait pour la France que la France n'ait fait pour moi. Si je lui donne un débris d'une vieille civilisation, c'est en échange de la civilisation nouvelle dont elle a jeté les germes en Orient. Puisse l'obélisque de Thèbes arriver heureusement à Paris, et servir éternellement de lien entre ces deux villes[1] ! »

Le beau temps permet au *Luxor* de quitter Alexandrie le 1er avril, au terme d'un séjour de vingt-trois mois en Égypte. Pouvait-il être remorqué par un bateau mieux nommé que le *Sphinx ?* Celui-ci n'est pas le premier navire à vapeur de la marine française, mais c'est le premier à fonctionner correctement, après onze essais infructueux. Construit à Rochefort, il a été mis à l'eau en 1829, avant de participer à la prise d'Alger. Cette corvette de 160 chevaux, dotée de deux roues à aube, peut atteindre une vitesse de 9 nœuds. L'un des principaux

1. Verninac, *Voyage du Luxor*, p. 424.

Le Sphinx *et le* Luxor *dans la tempête (dessin de Joannis).*

soucis de son commandant, Jean Sarlat, est le combustible, car le *Sphinx* consomme 960 kilos de charbon à l'heure.

Le voyage commence dans les meilleures conditions climatiques. « Ce début était ravissant », précise le lieutenant de Joannis [2]. Pendant deux jours, on avance à une vitesse moyenne de quatre milles à l'heure. Le *Luxor* n'a pas à lutter en permanence pour tenir le cap, comme à l'aller : il se laisse emporter par l'autre navire dont la cheminée crache une rassurante fumée noire.

Un peintre, Marilhat, qui vient de passer plusieurs mois en Égypte, a choisi de rentrer en France à bord du *Sphinx*, escomptant une traversée « moins longue et moins fatigante qu'avec un bâtiment marchand [3] ». Il ne va pas tarder à

2. Joannis, *Campagne pittoresque du Luxor*, p. 190

3. Lettre de Toulon, 18 mai 1833, citée par Théophile Gautier dans « Marilhat », *La Revue des Deux Mondes*, 1er juillet 1848.

déchanter… Dans la matinée du 3 avril, la brise laisse place à un vent violent d'ouest, qui soulève la mer. À midi, les deux bateaux n'avancent plus : la force du remorqueur suffit tout juste à les tenir face aux lames. Pour éviter que le charbon ne soit consommé en pure perte, il est décidé de mettre le cap sur Rhodes, en affrontant la mer de travers.

« Les premiers roulis qui accompagnèrent ce mouvement furent d'une longueur effrayante ; sur chaque bord, le bâtiment entrait dans l'eau jusqu'au bastingage, et menaçait de sombrer », raconte Verninac [4]. On décide de déployer les voiles, au risque de perdre la mâture. Cela stabilise un peu le *Luxor*, qui garde cependant une allure inquiétante. « Nous passâmes ainsi deux jours dans des transes pénibles, précise le commandant, veillant les grains et les lames, épouvantant le *Sphinx* de l'amplitude de nos roulis, et mesurant à tout instant sur la carte la distance qui nous séparait du port […] À chaque roulis la frêle coque du *Luxor*, se tordant sous sa rigide charge, semblait vouloir nous abandonner. » Dans la cale, heureusement, l'obélisque n'a pas bougé.

Les deux navires atteignent Rhodes dans la nuit du 6 avril et jettent l'ancre dans la rade, à l'abri de la mer et du vent. Le lendemain matin, pour plus de sûreté, ils se réfugient dans la baie fermée de Marmaris, à une dizaine de kilomètres de là, où l'orage va les immobiliser pendant plusieurs jours. Cela permettra au moins aux équipages de se détendre, de laver leur linge et de chasser dans les montagnes environnantes où le gibier foisonne.

Le *Sphinx* a besoin de se ravitailler en charbon. Peut-il prendre le risque d'aller jusqu'à Malte et d'être à nouveau surpris par le mauvais temps ? Le cap est mis plutôt sur les îles

4. Verninac, *Voyage du Luxor*, p. 425-426.

Ioniennes, au nord. Mais on ne trouvera de combustible ni à Navarin ni à Zante. La corvette à vapeur réussit à tenir jusqu'à Corfou, qu'elle atteint le 23 avril, avec sa précieuse remorque. Tandis que les autorités britanniques font le meilleur accueil aux Français, tous les Grecs de l'île viennent visiter le *Luxor*.

Le 2 mai, enfin, par beau temps retrouvé, les deux navires reprennent la mer, pour arriver huit jours plus tard à Toulon. Le *Luxor* revient avec l'obélisque, mais il a perdu vingt hommes dans cette aventure. Une mauvaise surprise attend l'équipage : il se voit imposer une quarantaine, malgré ses protestations. « Vingt-cinq jours d'un isolement complet et d'un ennui total », précise Verninac [5].

Pendant ce temps, le bateau est soigneusement examiné. Il a peu souffert du voyage : seule l'épaisseur de ses quilles a été réduite de quelques centimètres en raison de ses nombreux échouages et des violentes secousses qu'il a reçues à l'entrée du Nil. Quant au *Sphinx*, il n'a besoin que de légers travaux pour pouvoir continuer sa tâche, car on compte sur lui pour contourner la péninsule Ibérique et aller jusqu'à l'embouchure de la Seine.

L'ingénieur Lebas ne fera pas la suite du voyage en mer. Il doit se rendre directement à Paris, avec une mission précise, qui lui est confiée par Adolphe Thiers, ministre des Travaux publics : aménager une cale d'échouage pour le *Luxor* et mettre au point l'érection de l'obélisque.

Le 22 juin 1833, les deux navires, de nouveau liés l'un à l'autre, quittent la rade de Toulon. Ils ne tardent pas à affronter une mer agitée et des vents assez forts. « Le *Luxor* fatigua beaucoup, raconte Verninac. L'avant surtout avait des mouve-

5. *Ibid.*, p. 433.

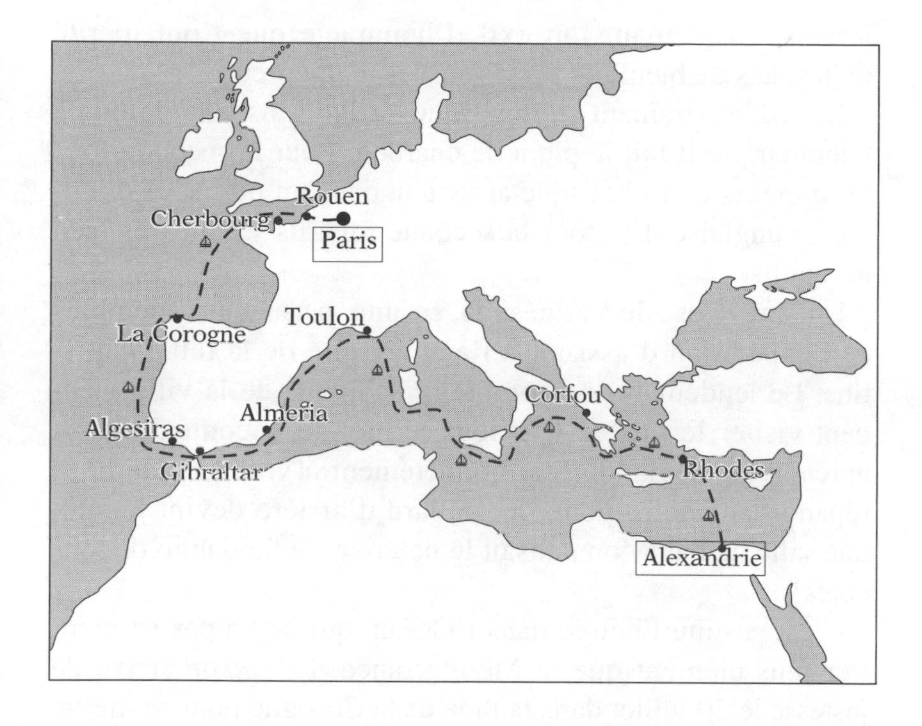

ments extraordinaires qui faisaient craindre de graves avaries. La prudence semblait demander qu'on rentrât à Toulon ; mais il fallait en finir ; la côte d'Espagne, d'ailleurs, nous promettait un abri [6]. »

Au large d'Almeria, les deux bâtiments croisent l'*Agathe*, qui transporte une illustre passagère : la duchesse de Berry, accompagnée de son aide de camp et surveillant, le général Bugeaud. Comme l'ont annoncé les journaux, l'ex-comploteuse va s'exiler en Sicile après avoir été libérée de prison, où elle a accouché d'une fille. Verninac, toujours solennel, marque cet instant historique par l'une des déclamations dont il a le secret : « Que la mer te soit douce, infortunée Caroline !

6. *Ibid.*, p. 434.

Reçois, en gagnant ton exil, l'hommage que t'ont mérité quinze ans de bienfaits versés sur les malheureux [7] ! »

Le *Sphinx*, traînant sa remorque, arrive sans trop de mal à Gibraltar, où il fait le plein de charbon. Pour la seconde fois, les porteurs de l'obélisque accostent dans un port sous domination anglaise. Et, pour la seconde fois, ils y sont très bien accueillis.

Une brève escale à Algésiras, ensuite, permet aux membres de l'expédition d'assister à l'anniversaire de la reine Christine. Le lendemain, de nombreux habitants de la ville viennent visiter le *Luxor*. « Et tout ce monde, raconte Joannis, après avoir demandé fort honnêtement à voir *la pierre*, se répandit sur notre pont ; le gaillard d'arrière devint bientôt une salle de bal : l'on dansait le boléro et le fandango de tous côtés [8]. »

C'est ensuite l'entrée dans l'Océan, qui ne va pas se montrer plus clément que la Méditerranée. Le *Luxor* arrive de justesse le 20 juillet dans la rade de la Corogne pour se mettre à l'abri. La nuit suivante, des vents très violents se déchaînent. Selon son capitaine, si le navire avait été surpris en mer par une telle tempête, il aurait certainement sombré [9].

Le 5 août, malgré la persistance du mauvais temps, le *Luxor* s'abandonne derrière le *Sphinx* aux hasards des flots et des vents. « La mer se balançait encore en longues houles et venait se briser au rivage avec fracas, raconte Verninac. Pendant la nuit, le bruit éclatant du tonnerre et des torrents de pluie nous firent craindre d'être enfin trahis par le sort. Nous murmurions déjà contre la fortune, qui semblait ne nous avoir conduits si

7. *Ibid.*, p. 434-435.
8. Joannis, *Campagne pittoresque du Luxor*, p. 195.
9. Verninac, *Voyage du Luxor*, p. 436.

loin que pour mieux nous faire sentir son inconstance et ses caprices [10]. »

Heureusement, le baromètre commence à remonter et le soleil finit par apparaître. Le *Sphinx* peut à nouveau déployer toute sa puissance. On fait près de cinq milles à l'heure, et cette vitesse se maintient pendant trois jours. L'île d'Ouessant est en vue. Il ne reste plus qu'à traverser une partie de la Manche pour gagner le port de Cherbourg, où l'ancre est jetée le 12 août 1833 à midi.

10. *Ibid.*, p. 437.

19

Louis-Philippe à bord

À Cherbourg, Verninac pensait trouver des instructions pour l'entrée dans la Seine. On lui intime plutôt l'ordre d'attendre la visite du roi, prévue trois semaines plus tard. Cela ne l'arrange nullement, car les bancs de sable sont bien fixés dans la partie la plus dangereuse du fleuve, comprise entre Honfleur et Caudebec, alors que les grandes marées de septembre risquent d'en changer la position. Il écrit au ministre de la Marine pour demander la permission de reprendre la mer, mais l'ordre d'attendre le souverain lui est renouvelé.

Le 2 septembre, en effet, Louis-Philippe, accompagné de la reine et des princes, monte à bord du *Luxor*, pour y dispenser compliments et discours de circonstance. Il confère la Légion d'honneur au lieutenant de Joannis et au docteur Angelin, après avoir annoncé à Raymond de Verninac et au commandant du *Sphinx* qu'ils sont promus l'un et l'autre capitaine de corvette. À l'aide d'une maquette, on explique à la famille royale comment l'obélisque a été abattu. Joannis présente aux visiteurs les dessins et aquarelles qu'il a réalisés au cours du voyage[1].

1. *Le Moniteur universel*, 5 et 6 septembre 1833.

Dix jours plus tard, le *Sphinx* prend le *Luxor* à la remorque pour la dernière fois : il doit le conduire au Havre, où un autre bateau à vapeur, l'*Heva,* tirant moins d'eau et pouvant donc entrer dans la Seine, viendra se substituer à lui. Ce changement se passe sans encombre : le 14 septembre, après avoir louvoyé dans un dédale de bancs de sable, le navire vient s'amarrer à un quai de Rouen, dans l'attente d'une crue suffisante pour pouvoir remonter jusqu'à Paris. Parmi la foule des curieux, un enfant de 12 ans n'oubliera jamais ce bateau de forme étrange, venu d'un autre monde : il s'appelle Gustave Flaubert…

Allégé, réduit à son plus petit tirant d'eau, le *Luxor* a été dématé et rasé de ses bastingages pour pouvoir passer plus facilement sous les ponts de la Seine. Cependant la crue ne se décide pas à apparaître. Comme à Louqsor… On va l'attendre trois mois. Ce n'est que le 13 décembre à l'aube que les chevaux de halage viennent enfin s'atteler au navire. Ils sont seize, mais la rapidité du courant obligera bientôt à en doubler le nombre.

Quoique plus facile que celle du Nil, la remontée de la Seine n'est pas une partie de plaisir pour le *Luxor*. Faute d'être exhaussés, les chemins de halage sont noyés à la moindre crue. Les chevaux sont alors obligés de marcher dans l'eau, ce qui leur fait perdre une partie de leur force et de leur vitesse. Ces chemins s'interrompent d'ailleurs de temps en temps, et il faut changer de rive, ce qui allonge d'autant la manœuvre. Par ailleurs, chaque passage sous les arches du fleuve est un problème : les maîtres de pont ne veulent pas en prendre la responsabilité, et Verninac est obligé de fournir chaque fois un ordre écrit [2].

2. Verninac, *Voyage du Luxor*, p. 442 à 457.

Le *Luxor* entre finalement dans Paris le 23 décembre 1833, après un périple de 12 000 kilomètres, étalé sur plus de deux ans et demi. Il prend place un peu en aval du pont de la Concorde, sur la cale d'échouage préparée par l'ingénieur Lebas. Le navire se trouve ainsi en face de la Chambre des députés, au moment même où Louis-Philippe s'y rend pour ouvrir la session parlementaire. « Nous ne pouvions arriver plus à propos pour faire adopter, par ces juges sévères, les dépenses d'une expédition que la mécanique et la navigation étrangères envieront toujours à la France », commente Verninac [3].

Le lendemain, veille de Noël, le roi visite le *Luxor* pour la seconde fois, accompagné de plusieurs personnalités. Il remet au commandant une prime de 2 000 francs, à répartir entre les marins et les ouvriers. Soudain retentit un cri : « Un homme à la mer ! » Deux matelots se précipitent et rattrapent un monsieur d'un certain âge, ruisselant d'eau, qui avait raté une marche en accédant au bateau. Il ne s'agit pas de n'importe qui : le zoologue Étienne Geoffroy Saint-Hilaire, doyen des professeurs du Muséum d'histoire naturelle et président de l'Académie des sciences, a été l'une des grandes figures de l'Expédition d'Égypte. L'illustre savant, qui a perdu connaissance, est aussitôt conduit dans une cabine pour être ranimé et frictionné par le docteur Angelin, assisté du médecin du roi [4]. C'est la seconde fois que Geoffroy Saint-Hilaire tombe à l'eau pour une raison « égyptienne » : au cours de l'été 1798, en Méditerranée, voyageant à bord de l'*Alceste*, l'un des

3. *Ibid.*, p. 444-445.

4. Georges Benoît-Guyot, *Le Voyage de l'obélisque*, Paris, Gallimard, 1939, p. 101-102.

navires qui accompagnaient Bonaparte, il avait échappé de peu à la noyade après un faux-pas similaire.

Le capitaine et l'état-major du *Luxor* sont invités à dîner aux Tuileries. Quelques jours plus tard, l'équipage défile en tête de la parade dans la cour du Carrousel. Louis-Philippe lui adresse quelques mots puis remet la Légion d'honneur à trois membres de l'expédition, qui avaient été « oubliés » à Cherbourg : le maître d'équipage Choisy, le maître charpentier Hélie et l'élève officier Jaurès sur lequel Verninac ne tarit pas d'éloges (et qui finira sa carrière dans la marine avec le grade de vice-amiral).

À partir du 1er janvier 1834, le *Luxor* est réduit à trente hommes. Pour ses travaux, l'ingénieur Lebas pourra disposer, à l'angle sud-ouest de la place de la Concorde, d'un pavillon construit pour la dernière exposition des produits de l'industrie.

L'arrivée de l'obélisque à Paris excite les imaginations. Chacun a sa petite idée sur la manière de le dresser. Un sieur Trouillet, marchand de meubles, demeurant 14, rue d'Argenteuil, propose de s'en charger « sans aucun risque ni danger, pourvu toutefois qu'il lui soit fourni les matériaux nécessaires ainsi que le nombre de bras convenable [5] ». On le renverra gentiment à ses commodes et ses guéridons.

5. *Ibid.*, p. 107.

20

Place de la Concorde

L'obélisque est donc à Paris, mais où faut-il l'ériger ? Avant même son arrivée, un vif débat s'est engagé dans la presse et les cercles du pouvoir, mêlant des arguments archéologiques à des considérations urbanistiques ou simplement esthétiques.

Jean-François Champollion avait clairement donné son avis. Selon lui, les deux obélisques de Louqsor devaient être dressés, comme en Égypte, devant l'entrée d'un monument. « Leur place, écrivait-il, est naturellement marquée, soit aux côtés du fronton et en avant de la colonnade du Louvre, soit en avant du portique de la Madeleine si, comme on l'espère, ce dernier édifice reprend son nom de Temple de la Gloire française. Ainsi employés, ces obélisques conserveraient leur caractère primitif[1]. » Mais le déchiffreur des hiéroglyphes n'est plus là pour défendre son idée, que Louis-Philippe ne partageait pas. Les relations entre les deux hommes en avaient d'ailleurs pâti.

1. « Obélisques égyptiens à transporter à Paris », Rapport au ministre de la Marine, 29 septembre 1830.

C'est la place de la Concorde qui a la faveur du pouvoir. Située à la limite de la ville, entre le jardin des Tuileries et la promenade forestière des Champs-Élysées, cette vaste esplanade a longtemps été occupée par des jardins maraîchers. On a décidé de l'aménager en 1748 pour développer la capitale vers l'ouest, en y implantant une statue équestre de Louis XV [2]. Le célèbre architecte Jacques-Ange Gabriel l'a conçue comme un espace ouvert, contrairement aux autres places royales. Seule la partie nord est bordée de deux constructions symétriques. La rue qui les sépare conduira à la future église de la Madeleine. Au milieu de l'esplanade, traversée par deux axes perpendiculaires, une sorte de place intérieure a elle-même pour centre le monument royal.

La statue sera déboulonnée par les révolutionnaires le 11 août 1792 pour être remplacée par une figure en plâtre de la Liberté. C'est au pied de ce monument provisoire que seront solennellement brûlés les emblèmes de la royauté un an plus tard. La Liberté sera enlevée par Bonaparte, Premier consul, au profit d'une « colonne nationale », qui ne verra pas le jour. Sous la Restauration, on voudra élever plutôt une statue en hommage à Louis XVI, mais seul le piédestal sera terminé.

La place Louis XV a changé plusieurs fois de nom, au gré des vents politiques. Elle est devenue place de la Révolution en 1792, puis place de la Concorde sous le Directoire, le Consulat et l'Empire ; elle est redevenue place Louis XV puis Louis XVI sous la Restauration, pour être baptisée un bref moment place de la Charte en 1830, avant de reprendre, au bout de quelques mois, son nom de place de la Concorde.

Ce lieu est lié à de mauvais souvenirs : Louis XVI y a été

2. *De la place Louis XV à la place de la Concorde*, Catalogue de l'exposition du musée Carnavalet, Paris, 1982.

exécuté en janvier 1793, suivi en octobre de son épouse, Marie-Antoinette. Personne en France n'a oublié que le père de Louis-Philippe a eu sa part de responsabilité dans ce drame… Au total, 1 119 personnes ont été décapitées sur la place de la Concorde au cours de la Révolution, dont la comtesse du Barry, Lavoisier, Robespierre, Saint-Just, Danton et Charlotte Corday.

Comment effacer l'échafaud ? Chateaubriand se prononce pour une fontaine au centre de la place, « indiquant assez ce que je veux laver ». Mais un obélisque égyptien aurait l'avantage de ne mécontenter personne. Il ne serait, selon la *Revue du dix-neuvième siècle*, « ni une accusation, ni une menace, ni un objet de deuil, ni une récrimination ». Pour sa part, Louis-Philippe donne au préfet de la Seine, Rambuteau, « un autre motif » pour lequel l'obélisque mérite cet emplacement : « C'est qu'il ne rappelle aucun événement politique et qu'il est sûr d'y rester, tandis que vous pourriez y voir quelque jour un monument expiatoire ou une statue de la liberté [3] ».

Les humoristes ne manquent pas de s'emparer de l'affaire, pour railler le souverain, leur tête de turc. Charles Philippon publie dans *La Caricature* du 7 juin 1832 un dessin intitulé « Projet d'un monument expia-poire à élever sur la place de la Révolution, précisément à la place où fut guillotiné Louis XVI ». On y voit sa célèbre poire, évoquant la figure de Louis-Philippe, juchée sur le socle de la statue qui n'a jamais vu le jour…

Le 3 août 1832, lors d'une séance publique à l'Institut, le comte Alexandre Delaborde, proche du roi, propose de placer l'obélisque à la Concorde : « Où pourrait-il être mieux aperçu,

3. *Mémoires du comte de Rambuteau*, Paris, 1905, p. 389.

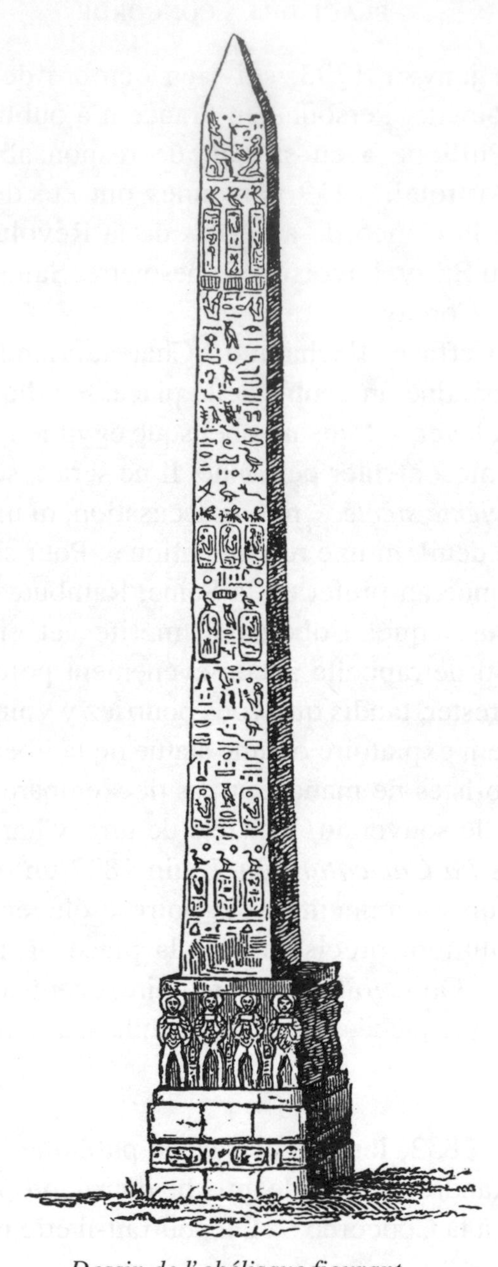

Dessin de l'obélisque figurant
dans l'opuscule d'Alexandre Delaborde (1833).

mieux étudié que sur la plus grande, la plus belle de nos places[4] ? »

Absurde, répond un chroniqueur qui signe Viator. D'abord, cet espace est beaucoup trop étendu pour un tel monument. L'on ne saurait « où se poser pour bien voir l'obélisque, le contempler à loisir, l'embrasser en entier, et ne pas courir le risque d'être troublé dans son examen, ou plutôt d'être écrasé par les voitures de tous les genres qui se croisent là par centaines. Il n'y a pas moins de huit aboutissants à cet immense carrefour : les cabriolets et les équipages, les diligences et les voitures de place, tous, plus ou moins pressés, s'y dirigent aussi librement que des canots sur l'Océan[5] ». Dans cet espace ouvert, les vents pluvieux et humides ne rencontrent aucun obstacle, et le granit égyptien risque d'en souffrir.

Viator avance un autre argument : l'obélisque érigé au milieu de la Concorde masquerait toutes les perspectives, où que l'on se trouve. Au passant qui viendrait de la Chambre des députés, la plus grande partie du temple de la Madeleine serait dérobée ; à celui qui viendrait des Tuileries, l'Arc de triomphe et le soleil couchant échapperaient… « Est-ce pour cacher nos plus beaux monuments français que l'on aura fait venir à grands frais ce beau morceau d'antiquité ? »

Non, sa place est dans la cour du Louvre, au centre du palais des arts, non loin des salles égyptiennes. Là, il serait comme dans un sanctuaire, « à l'abri de la pluie, de la crotte et du mauvais temps ». On pourrait l'y examiner à loisir, sans avoir besoin d'une lunette, car il ne serait pas perché, comme

4. Alexandre Delaborde, *Description des obélisques de Louqso*r, Paris, 1833.

5. Viator, comte de Morbourg, *Sur l'emplacement de l'obélisque de Louqsor*, Paris, 1833.

à la Concorde, sur un immense piédestal. C'est une pièce de musée, non de carrefour.

Cela dit, Viator ne veut pas exclure l'arrivée d'un deuxième obélisque, qui serait placé à côté de l'autre devant un grand édifice parisien. On a, selon lui, l'embarras du choix : le Panthéon, la Madeleine, la Bourse, l'Odéon, l'église Saint-Sulpice… sans oublier la colonnade du Louvre. Et pourquoi pas d'ailleurs trois obélisques, ou même davantage, qui seraient répartis sur le Champ-de-Mars ? Car rien n'interdit d'ériger « des obélisques français, pris dans du granit français et sculptés par des mains françaises ». Nos régions recèlent d'immenses carrières de cette pierre, « qui attend le ciseau de nos artistes ». Ce serait un moyen « d'occuper un grand nombre de bras » et une belle manière de célébrer notre histoire nationale : après tout, « elle vaut bien celle de Sésostris »…

Mais la réflexion se limite désormais à un seul obélisque : on ne parle plus d'aller chercher le second, au moins pour le moment, compte tenu de la difficulté de l'entreprise. Où le mettre ? La cour Carrée du Louvre a ses partisans, comme la façade du Panthéon. D'autres plaident pour le rond-point des Champs-Élysées ou l'esplanade des Invalides. Une brochure anonyme ressuscite même le projet napoléonien d'un obélisque sur le Pont-Neuf, au lieu de la statue d'Henri IV, qui serait déménagée [6]…

Le maire du troisième arrondissement de Paris écrit directement au roi pour suggérer que l'on place l'obélisque « sur les ruines de la Bastille [7] ». Aucun endroit ne conviendrait mieux, selon lui, que ce quartier, « l'un des plus industriels de la capi-

6. Archives nationales, F[13]1230, p. 32.

7. Lettre de J.-J. Rousseau, 19 juin 1834, Archives nationales, F[13]1230.

tale », pour accueillir une telle « conquête de l'industrie ». Là, au moins, le monolithe égyptien « ne nuira à aucune perspective » et aura l'avantage « d'alimenter la curiosité publique et de flatter en tout temps et à toute heure les regards d'une population immense ». Alors qu'à la Concorde, « isolé, perdu à l'extrémité de la capitale, il ne sera visité qu'accidentellement et cessera entièrement de l'être avec la saison des promenades ».

Ce n'est pas l'avis de Miel, un homme de lettres influent, qui collabore à la rédaction artistique de plusieurs journaux. S'il n'hésite pas à faire valoir un argument économique en faveur de la Concorde (la proximité du lieu de débarquement diminuerait les frais de transport du monolithe), l'essentiel de son plaidoyer est de nature esthétique [8].

La place de la Concorde, affirme-t-il, exige quelque chose dans son milieu, sans quoi elle paraît vide. D'ailleurs, ce n'est pas une place au sens architectural du mot, un espace aménagé au cœur d'une ville et encadré d'édifices : « Ce n'est qu'une sorte de plaine qui s'étend entre deux bois sur le bord d'un fleuve. Mais sa nudité reconnue demande quelque chose qui en meuble l'espace. L'obélisque, dont l'aspect est pareil sous les quatre faces, est le moyen de décoration le mieux entendu pour cet emplacement. » Grandi par son piédestal, il pourra être vu de près ou de loin, dans toutes les directions. Deux trottoirs abrités des voitures, l'un proche, l'autre plus lointain, permettront aux Parisiens de le contempler à leur aise.

« L'obélisque meublera, dit Miel, mais ne masquera point. » Il faudrait vraiment avoir le nez dessus et mettre de la mauvaise volonté pour en être gêné. Loin de nuire à l'aspect des monuments voisins, il les fera paraître plus grands. Chacun y

8. *Constitutionnel* des 18 et 26 novembre et 14 décembre 1834.

gagnera : « La forme effilée et simple du monolithe égyptien, contrastant avec notre architecture, ajoutera encore à l'effet des édifices environnants, et ceux-ci à leur tour feront valoir le monolithe, c'est-à-dire qu'il y aura réciprocité et échange de bons offices. »

Oui, à la place de la Concorde, affirme de son côté le baron Taylor, qui avait négocié en Égypte le cadeau de Mohammed Ali. Mais, dans une lettre au directeur des Travaux publics, il se prononce pour… quatre obélisques, que l'on disposerait de préférence aux quatre fontaines prévues [9]. Car il faudrait, selon lui, aller chercher celui qui reste à Louqsor ainsi que l'aiguille de Cléopâtre qui a été également offerte à la France. « Il s'agit d'une question de gloire nationale ; non seulement ces monuments sont précieux sous les rapports de l'archéologie, mais encore ils sont des trophées pour consacrer l'immortelle campagne de Napoléon et des Français en Orient. » Trois obélisques donc, mais le quatrième ? Eh bien, le quatrième serait fabriqué en granit breton, et on y graverait le souvenir de la Campagne d'Égypte « qui ferait pendant aux victoires de Sésostris » !

En mai 1833, l'aménagement de la place de la Concorde est confié à Jacques-Ignace Hittorff. Ce brillant architecte de 41 ans, originaire de Cologne, s'est déjà distingué par les décors de plusieurs cérémonies officielles, comme les funérailles de Louis XVIII et le sacre de Charles X, mais aussi par des études remarquées sur la polychromie des édifices antiques [10]. Disposera-t-il de l'obélisque sur la place de la

9. Archives nationales, F 13 1230, p. 571.

10. *Hittorff, un architecte du XIXe*, Catalogue de l'exposition du musée Carnavalet, Paris, 1986.

Concorde ? Officiellement, la décision n'a pas été prise, mais les différents projets qu'il va élaborer incluront tous le monolithe apporté de Louqsor.

Pour permettre aux Parisiens de se faire une idée, sinon de voter, on décide d'installer des simulacres d'obélisques – l'un sur la place de la Concorde, l'autre sur l'esplanade des Invalides – à l'occasion des fêtes de juillet 1833. Un célèbre décorateur de théâtre, Charles Ciceri, est chargé de les réaliser.

Le faux obélisque de la Concorde n'a rien d'une œuvre d'art. Fabriqué en carton-pâte, posé sur des marches cachant les restes du piédestal qui était destiné à la statue de Louis XVI, il a un air trapu et porte de grossiers hiéroglyphes. Hittorff a cru devoir le surmonter « d'une étoile transparente à quatre faces susceptible d'ajouter l'effet d'une illumination ». Cet objet grotesque restera en place jusqu'à l'Exposition des produits de l'industrie nationale, l'année suivante.

Le 24 avril 1835, le Conseil municipal de Paris adopte le projet d'embellissement de la place de la Concorde présenté par Hittorff. L'obélisque de Louqsor y sera érigé en son centre. Un trottoir le reliera à deux fontaines monumentales s'équilibrant de part et d'autre sur l'axe nord-sud, à la manière de la place Saint-Pierre à Rome. L'une sera consacrée aux fleuves et l'autre aux mers.

Il est prévu de maintenir la forme octogonale du site, avec huit pavillons restaurés, dont les statues représenteront huit grandes villes de France. Les entrées du côté de la rue Royale et du pont de la Concorde seront décorées de lions couchés en bronze symbolisant les quatre principaux fleuves du pays, alors que celles qui donnent sur les Tuileries et les Champs-Élysées compteront des sphinx égyptiens, sculptés en granit de Brest.

Mais il n'y aura finalement ni lions ni sphinx. La place comptera en revanche des colonnes rostrales, portant des proues de vaisseaux et servant de lampadaires. Ce symbole naval sera justifié par la proximité de la Seine et par celle du ministère de la Marine. L'obélisque, lui, pourra y voir une évocation de toutes les masses liquides qu'il a dû emprunter pour arriver jusqu'ici…

21

Le cri du poète

Mais, après tout, pourquoi avoir fait venir à Paris un obélisque égyptien ?

La réponse est évidente pour les hommes qui ont participé à l'expédition. Selon le lieutenant de Joannis, le monolithe permettra « d'éterniser le souvenir de nos victoires en Égypte[1] ». Il parle là de l'Expédition avec un grand E, celle de 1798 : même si les forces de Bonaparte avaient été finalement chassées de la vallée du Nil par les Anglais, la bataille des pyramides et quelques autres faits d'armes contre les mamelouks ou les Ottomans continuent de hanter l'imaginaire français, surtout en cette période de bonapartisme renaissant. La statue de Napoléon, qui avait été enlevée du sommet de la colonne Vendôme à Paris, n'a-t-elle pas retrouvé sa place le 28 juillet 1833 ?

Le docteur Angelin, pour sa part, voit déjà dans l'obélisque « un monument national ». Avec cette explication : « Dérobé par nos soins aux menaces du temps, il vient se naturaliser

1. Joannis, *Campagne pittoresque du Luxor*, p. 7.

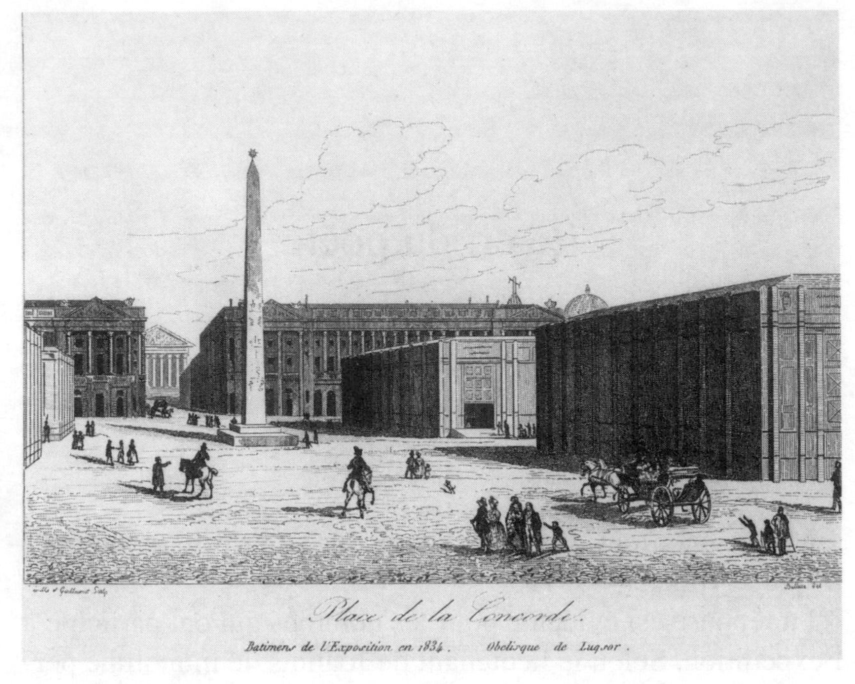

Place de la Concorde.
Batimens de l'Exposition en 1834. Obelisque de Luqsor.

Le simulacre d'obélisque, à la Concorde, durant l'exposition de 1834.

chez nous, et renouveler pour ainsi dire dans nos murs son brevet d'immortalité [2]. »

Raymond de Verninac abonde dans le même sens : « Thèbes, couchée dans la poussière, ne pouvait garder ses monuments ; il fallait, comme sa puissance, qu'ils tombassent en d'autres mains [3]. » Pour le commandant du *Luxor*, l'obélisque va « rajeunir les vieilles gloires de l'Égypte en les mêlant à celles de la France ». Cette dernière a sauvé un monument, que menaçaient aussi bien « l'exhaussement continuel du sol par les dépôts du Nil » que « la sauvage ignorance des Turcs ».

2. Angelin, *Expédition du Luxor*, p. 119
3. Verninac, *Voyage du Luxor*, p. 34.

Elle doit être remerciée par l'Europe savante, « à laquelle appartiennent tous les monuments de l'Antiquité, parce que seule elle sait les apprécier [4] ». Pendant vingt-huit mois, précise-t-il, les membres de l'expédition du *Luxor* n'ont eu « qu'une idée fixe, celle d'ajouter un fleuron à la gloire nationale et de fournir aux sciences et aux arts un sujet nouveau de méditation [5] ».

Ces belles paroles ne sont pas de nature à ébranler le poète Pétrus Borel. Ce marginal, connu pour ses provocations et qui s'est donné pour surnom le Lycanthrope (l'homme-loup), publie en 1832 un pamphlet au vitriol contre la conquête de l'obélisque.

Douzième enfant d'une famille pauvre, passionné de dessin, Borel a appris le métier d'architecte, mais ses goûts bizarres ont vite fait d'effaroucher sa clientèle. Il est devenu journaliste et surtout poète, fréquentant le Petit Cénacle qui réunit entre autres Théophile Gautier et Gérard de Nerval. Arborant une longue barbe qui n'est pas à la mode, il porte un gilet à la Robespierre et le chapeau pointu des conventionnels. Son républicanisme, sa haine de la société bourgeoise et sa défiance de l'amour se sont déjà exprimés dans un recueil de vers, *Rhapsodies*, et un volume de nouvelles, *Champavert*.

« Les Vandales, affirme-t-il dans son pamphlet, ne font pas la guerre aux monuments, l'ignorance est respectueuse… C'est la science qui parcourt l'univers une pioche ou une hache à la main… C'est la science qui va ravageant les nécropoles de la Thébaïde, démolissant les hypogées, effondrant les

4. *Ibid.*, p. 38.
5. *Ibid.*, p. 438.

sépulcres, criblant la poussière des tombeaux pour en extraire quelques scarabées, quelques papyrus inintelligibles… C'est la science qui a dépouillé et qui dépouille[6]. » Le Lycanthrope s'adresse aux hommes du pouvoir : « Mon Dieu ! quelle manie de prendre et de transporter ! Ne pouvez-vous donc laisser à chaque latitude, à chaque zone, sa gloire et ses ornements ? Ne pouvez-vous donc rien contempler sur une plage lointaine sans le convoiter et sans vouloir le soustraire ? »

Sa philosophie de l'art est différente. Chaque chose, écrit-il, n'a de valeur qu'en son lieu propre, sur sa terre natale. « Il faut à la pyramide un ciel bleu, un sol chauve, l'horizontalité monotone du désert… Le bel effet que celui d'un obélisque se profilant sur un hôtel garni, entre un corps de garde et une marchande de tisane ! »

Pétrus Borel n'est pas pour autant un admirateur de l'art égyptien, qu'il ne connaît pas et dont il semble se ficher éperdument. Dans son brûlot, il s'indigne des « sommes considérables dépensées pour l'importation de ce monolithe, tandis qu'on refuse à de jeunes et grands artistes un peu de marbre, un peu d'or ». Le Lycanthrope précise : nos édifices restent inachevés, nos cathédrales tombent en ruine, nos châteaux se démantèlent. L'engouement affiché pour les œuvres antiques n'est que parade. « Votre obélisque aura beaucoup de succès ! Quelque cent mille niais feront Ho ! ! en l'apercevant pour la première fois. Quelques centaines de paysans de la banlieue, venant vendre leurs légumes, s'arrêteront devant, bouche béante, et demanderont ce que c'est que " ce machin orné de canards et de zigzags "… Vous voulez étonner le vulgaire par des bizarreries. »

Il poursuit sur le même ton : « Que trouvez-vous de si beau

6. Petrus Borel, *L'Obélisque de Louqsor*, 1832.

à un obélisque ? Comme art, comme exécution, comme invention, comme galbe, comme effet, c'est un monument laid et nul. Voulez-vous donner une idée avantageuse des Égyptiens et de leur génie ? Pourquoi donc alors choisir entre leurs œuvres une borne ? Car vous savez tout aussi bien que moi, et mieux que moi, car vous êtes des savants, qu'un obélisque n'était point un monument, mais une grande borne placée vis-à-vis des temples ou des palais, pour y inscrire tout du long les noms et prénoms des fondateurs… »

Le poète reproche aux dirigeants français de vouloir imiter « le plus servilement possible Rome et les Romains ». La Ville éternelle ayant la colonne de Trajan et la colonne antonine, Paris a voulu se donner la colonne de la place Vendôme et celle de la Bastille. « Les Romains, qui ne surent faire autre chose que piller et imiter, transportèrent en Italie une vingtaine d'obélisques : on va en transporter ici indéfiniment. »

Après tout, si on tient tellement à ces broches de pierre, il n'y a qu'à en fabriquer en France, s'exclame Pétrus Borel : « Des obélisques de porphyre français, travaillés par des artistes français, vaudront tout autant que des obélisques de granit d'Égypte. » Et qu'on ne vienne pas lui dire que le monolithe de Louqsor a une valeur en soi, qu'il rappelle tel ou tel pharaon : « Votre Ramsès ou Rhamessès III, quinzième roi de la dix-huitième dynastie, était sans doute un fort bon homme (il ne faut jamais mal parler des absents) ; mais, pour moi, sincèrement, lui et sa grande borne sont fort peu de chose. » Non, la France ne raffole pas de ce pharaon, conclut le Lycanthrope, elle n'a jamais eu la pensée de lui élever un autel : « Tenez-vous pour certains que ce n'est pas le souvenir de votre Rhamessès III qui viendra l'assaillir lorsqu'elle jettera les yeux sur cette borne, plantée au milieu d'une place encore fumante du sang de Louis XVI. »

22

Cheikh Rifaa

Alors que Pétrus Borel n'attache guère de prix à l'obélisque, c'est une accusation de vandalisme que porte la revue *L'Artiste*. Le monument de Louqsor, y lit-on, a été « dérobé à une civilisation éteinte, que la civilisation moderne devait respecter, comme l'une des sources qui lui ont donné naissance[1] ». Il s'agit bien d'un « larcin ». Rien ne justifiait que l'on aille « dérober quelques débris de son antique magnificence à une contrée déjà si misérablement dévastée par le temps et par la guerre ».

Toutes les dépenses et tous les efforts faits pour acquérir l'obélisque ne serviront même pas la science, affirme *L'Artiste*. Il est prouvé que c'est sur place qu'on étudie le mieux les monuments, et non en les déplaçant. « L'Égypte vaut assez la peine qu'on aille l'étudier chez elle », comme l'avaient fait les savants et artistes qui accompagnaient l'armée de Bonaparte. Leur travail, matérialisé par la *Description de l'Égypte*, « est un trophée bien plus glorieux et plus utile que tout le granit, le marbre et le porphyre tirés de cette magnifique contrée ».

1. *L'Artiste*, 1836, t. XI, p. 18-19.

D'ailleurs, qui pourrait étudier les textes gravés sur l'obélisque à l'endroit – et à la hauteur – où ils vont se trouver ? Si l'on voulait vraiment favoriser la science, remarque *L'Artiste*, il aurait fallu installer le monument dans un lieu tranquille et accessible, comme la cour du Louvre.

L'accusation de vandalisme ne risque pas d'être reprise en Égypte même, où la presse est encore inexistante. Il n'y a qu'un seul maître à bord, c'est Mohammed Ali, qui détient toutes les clés du pouvoir, politique et économique. Les opposants n'ont pas intérêt à contrevenir à ses ordres.

Y a-t-il d'ailleurs des opposants ? Les antiquités pharaoniques appartiennent à un monde païen, pré-islamique, qui est rejeté ou ignoré. Avant que l'Égypte ne devienne musulmane, les coptes avaient montré leur volonté de rupture avec ce monde-là, transformant ses temples en églises et martelant ses bas-reliefs.

Le seul, pour le moment, à avoir pris conscience de la valeur du patrimoine égyptien est un jeune cheikh, Rifaa al-Tahtaoui, qui a fait des études à Paris. Son admiration pour la France – un pays où il a découvert son égyptiannité – ne l'empêche pas de critiquer le don de l'obélisque. Sa fameuse relation de voyage, *L'Or de Paris*, publiée au Caire en 1834, contient en effet des lignes audacieuses : « Séduits par l'étrangeté de ces obélisques, écrit-il, les Francs en transportèrent deux dans leurs pays, l'un à Rome jadis, l'autre à Paris de nos jours, sous la générosité débordante du Maître des Faveurs. À mon avis, puisque l'Égypte s'est mise maintenant à adopter la civilisation et l'instruction selon le modèle des pays d'Europe, elle est légitimement plus digne de conserver autant d'ornements et d'ouvrages que ses ancêtres lui léguèrent. L'en dépouiller peu à peu, estiment les hommes raisonnables, c'est une manière de dérober les bijoux d'autrui pour s'en parer, cela tient de la spoliation – chose trop évidente pour nécessiter démonstration [2]. »

Tahtaoui invite toute personne ayant trouvé un objet antique à venir le déposer dans la cour de l'École des langues qu'il a créée. C'est la première ébauche d'un musée au Caire. Les initiatives du jeune cheikh vont conduire à la publication, dans le *Journal officiel*, le 15 août 1835, de l'ordonnance suivante, qui marque une date dans la défense du patrimoine égyptien [3] :

Il arrive que des étrangers détruisent les édifices anciens, en retirent des pierres et autres objets travaillés et les exportent dans les pays étrangers. Si ces procédés continuent, il est hors de doute qu'en très peu de temps il ne restera plus rien des monuments anciens de l'Égypte et que tout sera transporté à l'étranger.

Il est connu également que les Européens ont des édifices consacrés à l'entretien des objets d'antiquités ; les pierres couvertes de peintures et d'inscriptions et autres objets semblables y sont conservés avec soin et montrés aux habitants du pays ainsi qu'aux voyageurs qui désirent les voir et les connaître ; de pareils établissements donnent aux pays qui les possèdent une grande célébrité.

Ayant pris en considération ces faits, le gouvernement a jugé à propos de défendre l'exportation à l'étranger des objets d'antiquités qui se trouvent dans les édifices anciens

2. Rifaa al-Tahtaoui, *L'Or de Paris. Relation de voyage (1826-1831)*, traduit, présenté et annoté par Anouar Louca, Paris, Sindbad, 1989.

3. Jacques Tagher, « Ordres supérieurs relatifs à la conservation des antiquités et à la création d'un musée au Caire », *Cahiers d'histoire égyptienne*, III, fasc. 1, novembre 1950.

de l'Égypte, et qui ont une si grande valeur, et de désigner dans la capitale même un endroit destiné à servir de dépôt aux objets trouvés ou à trouver par suite des fouilles. Il a jugé à propos de les exposer pour les voyageurs qui visitent le pays, de défendre la destruction des édifices anciens qui se trouvent en Haute-Égypte et de veiller à leur entretien avec tout le soin possible.

Autrement dit, c'est au moment où l'on débat à Paris de l'emplacement de l'obélisque que l'Égypte se dote de sa première législation sur les fouilles et les antiquités [4]. Celle-ci n'a pas d'effet rétroactif, et il est hors de question, bien sûr, de réclamer à la France le cadeau qui lui a été fait. Cette législation sera d'ailleurs appliquée de manière assez laxiste par Mohammed Ali et ses successeurs : les défenseurs du patrimoine égyptien auront surtout à surveiller les agissements… du souverain pour l'empêcher de se montrer prodigue et de brader des trésors nationaux.

4. Antoine Khater, *Le Régime juridique des fouilles et des antiquités en Égypte*, Le Caire, Ifao, 1960.

23

Un piédestal breton

L'obélisque a besoin d'un piédestal. Le sien est resté à Louqsor malgré les recommandations de Champollion. Le déchiffreur des hiéroglyphes avait pourtant été très clair, en septembre 1830, dans son rapport au ministre de la Marine : « En enlevant les obélisques, dont on déchaussera d'abord les bases, il devient indispensable d'emporter aussi les dés ou piédestaux sur lesquels ils sont placés ; et s'ils ont en outre reçu un soubassement de quelque autre nature, il est nécessaire d'enlever ce soubassement, ou tout au moins d'en prendre les dimensions exactes pour le reconstruire à Paris, et y montrer enfin des obélisques égyptiens avec tous leurs accessoires, et conservant leur destination et leur caractère primitif. On évitera la faute commise jusqu'ici en Europe, de jucher ces beaux monuments sur une base ridicule d'architecture moderne[1]... »

En dégageant le socle à Louqsor, l'ingénieur Lebas a découvert qu'il était constitué d'un dé de granit d'un seul bloc, posé

1. « Obélisques égyptiens à transporter à Paris », 29 septembre 1830, Archives nationales, Marine BB 41029, vol. II, p. 14.

Face Sud-Ouest du Socle.

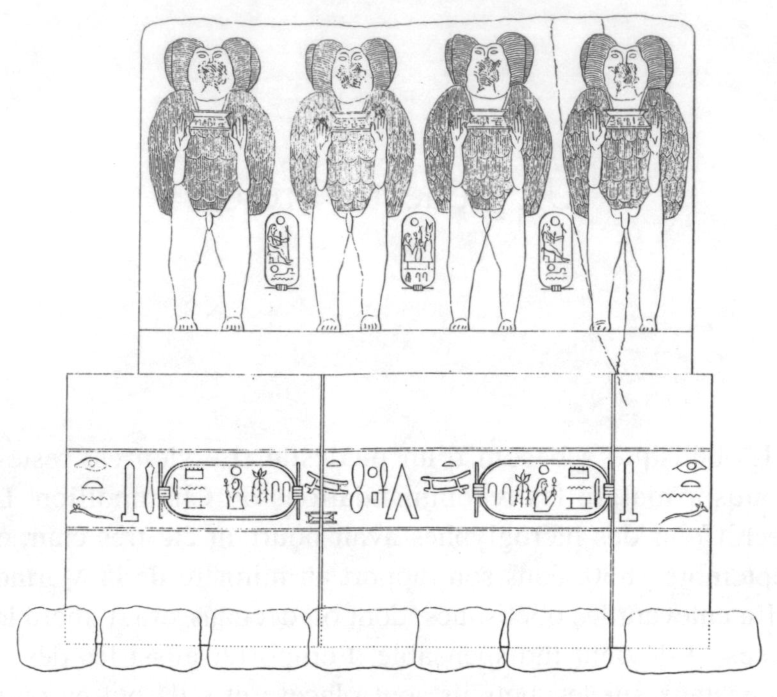

Les cynocéphales, dessinés par Lebas.

sur trois morceaux accolés de grès très dur. Ses faces nord et sud portaient quatre babouins sculptés, tandis que celles de l'est et de l'ouest représentaient le Nil faisant des offrandes au dieu Amon, au nom de son fils Ramsès. Constatant la dégradation du dé, Lebas a renoncé à l'emporter. Il a également laissé sur place les babouins en granit rose, eux aussi en mauvais état, mais en a prélevé d'autres, appartenant à l'obélisque jumeau [2].

2. Michel Dewachter, « Les cynocéphales ornant la base des deux obélisques de Louxor », *Chronique d'Égypte*, t. XLVII, n° 93-94, p. 68-75, Bruxelles, 1972.

Ces cynocéphales nus, dressés sur leurs pattes de derrière et levant les mains en signe d'adoration du soleil, pourraient être intégrés au nouveau piédestal qu'on va construire à Paris. Ils ont cependant le défaut d'exhiber leurs généreux attributs : jugés trop indécents pour figurer sur la place de la Concorde, ils sont donnés au Musée du Louvre. Autant dire que d'innombrables visiteurs pourront les observer de près, alors qu'au milieu des voitures, ils seraient passés inaperçus…

Il n'est pas question de poser l'obélisque sur le socle qui était destiné à la statue de Louis XVI, comme on l'a fait pour le simulacre : sa forme massive est inadaptée à une aiguille de pierre. Cette construction haute de huit mètres sera démontée en octobre 1834.

Un médecin de Belleville, nommé Bellemain, fait savoir aux autorités qu'il possède, dans une propriété de sa famille, située près d'Autun, cinq blocs de granit rouge « d'une rare beauté », datant des Romains. Il est prêt à les offrir pour un nouveau piédestal [3]… On ne retiendra évidemment pas sa proposition : Hittorff, l'architecte de la place de la Concorde, n'entend pas bâcler une pièce aussi importante en s'adaptant à du matériel de seconde main.

Il n'est pas le seul à vouloir faire du socle une œuvre d'art. Adolphe Thiers, successivement ministre des Travaux publics et de l'Intérieur, s'intéresse de très près à l'obélisque. Ce Marseillais dynamique et ambitieux a été l'un des artisans de l'arrivée de Louis-Philippe au pouvoir. Ancien journaliste, historien de la Révolution, membre de l'Académie française, il a des idées sur tout, et entend les imposer. Selon lui, le piédestal devrait être agrémenté de lions et de sphinx.

Ce n'est pas l'avis d'Hittorff : après divers tâtonnements,

3. Archives nationales, F[13]1230, p. 524.

qui l'ont conduit à proposer des ornements en bronze, l'architecte est partisan d'un socle monolithique, aussi simple que possible. Habilement, il propose au ministre plusieurs projets, un peu caricaturaux, comprenant des lions, des sphinx ou des fontaines, et réussit à le faire changer d'avis. Le 29 décembre 1833, dans une lettre au directeur des Travaux publics, Thiers se prononce pour un piédestal « réduit à sa plus simple expression quant à la forme et aux ornements », mais s'imposant par « la grandeur, la qualité et la beauté du granit ». Hittorff, soulagé, va pouvoir rivaliser avec les anciens Égyptiens et réaliser « la plus belle construction » existant en Europe « pour support de semblables monolithes ».

Le mois suivant, l'architecte part en reconnaissance aux carrières de Cherbourg et de Brest. Il constate qu'on peut se procurer de grands blocs d'un matériau splendide, à condition d'y mettre le prix. L'administration, réticente, se prononce pour un piédestal moins cher, composé de vingt-quatre morceaux. Mais Hittorff revient à la charge, réussit à faire baisser le prix, et le contrat est signé.

Les carrières choisies se trouvent au fin fond de la Bretagne, à l'embouchure de l'Aber-Ildut. Cinq blocs, d'un poids total de 240 tonnes – davantage que l'obélisque lui-même – en seront extraits et taillés par un entrepreneur local, pour la somme assez considérable de 191 250 francs. Toute l'expédition du *Luxor* en Égypte n'a coûté en effet, selon Verninac, que 700 000 francs, auxquels se sont ajoutés 300 000 francs pour la construction du navire et les frais de la mission Taylor.

Cela n'empêchera pas l'entrepreneur breton, Guiastrennec, de se lamenter par la suite. Affirmant avoir perdu 40 000 à 50 000 francs dans cette affaire, il écrira en février 1838 au ministre de l'Intérieur : « J'aurai consacré à ce monument quatre années de ma vie. J'aurai quitté mon pays et ma famille dans l'espoir de leur être utile, et j'aurai pour résultat les suites de l'absence d'un père de famille, l'éducation de mes enfants retardée, ma femme atteinte d'une maladie grave, ma fortune compromise. Ce monument, qui sera pour la France l'objet d'un juste orgueil, sera pour moi l'objet d'une éternelle désolation[4]. »

Le granit choisi est de même composition que celui de l'obélisque : il est seulement un peu plus foncé et un peu moins dur. On s'apercevra cependant, quand il aura perdu son état brut, que sa patine est différente : elle tend vers le gris, ce qui marquera une nette différence entre les deux masses superposées.

Les entrepreneurs, pressés par le temps, souhaitent que les carriers travaillent le dimanche. Ils en font la demande au recteur de leur paroisse qui, lui-même, interroge l'évêque de Quimper. Celui-ci leur en donne l'autorisation, mais en précisant que les ouvriers ne sont pas dispensés de l'office dominical...

Pour transporter les blocs à Paris, Hittorff estimait nécessaire de « faire construire un ou deux navires, exprès[5] ». Il oubliait le *Luxor*... Après avoir fait voyager l'obélisque, ce bâtiment n'est-il pas tout désigné pour aller chercher le granit breton ?

Encore faut-il le libérer de son précieux chargement. Au début du mois d'août 1834, les eaux de la Seine ayant baissé et le navire étant à sec, on peut procéder à cette opération. L'avant du *Luxor* est scié de nouveau pour en extraire

4. Archives nationales, F^{21} 1575.

5. Lettre au directeur des Bâtiments civils, 26 janvier 1834, Archives nationales F^{13}1230, p. 528.

l'obélisque. Celui-ci devra glisser sur une cale spécialement construite, composée de deux files de longrines posées sur un plancher en chêne, jusqu'à la hauteur du quai.

Le 9 août, deux cent quarante artilleurs sont mobilisés pour la manœuvre. Ils sont répartis sur cinq cabestans disposés en échiquier, attachés à des pieux et armés chacun de seize barres. Le câble-chaîne du bâtiment, relié à des moufles et des poulies d'apparaux, est passé en ceinture autour de l'obélisque, toujours garni de son revêtement de bois.

Les cabestans sont mis en activité. Le monolithe, cédant aux efforts des artilleurs, avance par petits bonds sur la rampe et vient se placer sur le ber. Mais ce n'est que le lendemain après-midi, après plusieurs ajustements, qu'il atteindra sa destination.

Le *Luxor*, libéré de sa charge, est en mesure de se rendre en Bretagne pour rapporter les blocs de granit destinés au piédestal. Toujours commandé par Verninac, il quitte Paris au cours du mois de juillet 1835, pour être remorqué en mer par le *Sphinx* et atteindre le port breton de l'Aber.

Cinq blocs ont été extraits de carrières différentes, pour constituer respectivement le socle, la base, le dé, la corniche et l'acrotère. Il a fallu les traîner jusqu'à la grève et, de là, les transporter par mer jusqu'au port, où ils ont été taillés et polis.

À l'Aber, comme à Louqsor et à Paris, Apollinaire Lebas a dû construire une cale d'échouage pour le *Luxor*. La partie avant du navire est sciée, une fois de plus, pour recevoir ce nouveau chargement. L'ingénieur a également aménagé un chemin de halage qui fait soixante mètres de longueur.

C'est lui qui va diriger les 120 hommes affectés à la manœuvre, laquelle s'exécute sur un terrain mouvant, que la marée submerge deux fois par jour. Le dé est particulièrement difficile à déplacer, en raison de son poids (plus de 100 tonnes) mais aussi du défaut de parallélisme entre son axe et le chariot qui le supporte. Le 5 septembre, décoré de bouquets et de lauriers, surmonté d'un drapeau tricolore, il rejoint les quatre autres blocs dans la cale [6].

Le *Luxor* repart un mois plus tard. Au Havre, il dit un adieu définitif au *Sphinx*. Un remorqueur fluvial l'emmènera jusqu'à Rouen, d'où il sera traîné sur la Seine par des chevaux de halage. Et c'est le 15 décembre 1835, enfin, que les cinq blocs de granit arriveront à Paris. L'expédition bretonne a duré six mois.

Resté au sommet de l'embarcadère du pont de la Concorde, l'obélisque a été victime, au milieu de l'été, d'une agression inattendue, attribuée à « des vagabonds » qui traînent la nuit dans le secteur. C'est l'ingénieur Lebas qui a alerté les autorités : « On a détaché plusieurs fragments de granit du sommet et des arêtes inférieures du pyramidion de l'obélisque. L'astragale qui couronne la base supérieure du monolithe a été brisée dans deux endroits. On remarque sur les parties qui ont résisté les traces du marteau dont on s'est servi pour opérer cette mutilation. » Lebas réclame une protection, en attendant d'isoler l'obélisque par une clôture. On engage un gardien qui recevra 1,50 franc par nuit [7].

Cependant, pour laisser le passage aux granits bretons, il faut dégager la rampe, et donc transporter le monolithe un peu plus loin. Ce deuxième déplacement présente une nouveauté, car l'obélisque devra, en cours de route, dévier de son axe et changer de direction. La manœuvre s'exécute avec succès les

6. *L'Armoricain*, 3 et 12 septembre 1835.
7. Lettre du 3 juillet 1835, Archives nationales, F[13]1230, p. 185-186.

16 et 17 avril 1836, permettant d'atteindre l'angle du fossé voisin du pont.

La voie est donc libre transporter les blocs de granit jusqu'au centre de la place. Le piédestal fera au total près de neuf mètres, soit cinq de plus que celui de Louqsor, et permettra à l'obélisque de dominer son nouvel environnement.

Associer aussi étroitement le granit indigène à celui d'Assouan ne manque pas de poésie. Pourtant, ce piédestal ne fait pas l'unanimité. « Nous avions pensé, nous autres " Égyptiens ", qu'on rendrait à l'obélisque de Luxor la forme de son socle primitif, cette forme imaginée et arrêtée par les anciens, il y a quatre mille ans », écrit le lieutenant de Joannis. Or, ce qui a été choisi, « c'est un piédestal dans le genre destiné aux statues, c'est le socle romain. Je trouve qu'il valait autant copier l'Égypte que l'Italie » [8].

8. Joannis, *Campagne pittoresque du Luxor*, p. 201.

24

L'ombre de Fontana

L'ingénieur Lebas ignore comment les Égyptiens avaient érigé leurs obélisques. Il ne sait pas non plus comment les Romains s'y étaient pris, à leur tour, pour remonter les monolithes transportés dans leur capitale. Mais il connaît en détail le mode de réédification de l'obélisque de la place Saint-Pierre en 1586, car l'architecte Dominique Fontana en a laissé un compte rendu très précis[1]. Lebas consacrera d'ailleurs toute une partie de son livre à un résumé du récit de son illustre prédécesseur[2].

Résumons le résumé.

Parmi tous les obélisques que Rome avait enlevés à l'Égypte, un seul était encore debout – et intact – à la Renaissance : il s'élevait, à quelque 250 mètres de la place Saint-Pierre, dans l'ancien cirque de Néron, parmi des décombres. Plusieurs papes avaient songé à le déplacer pour le mettre sous l'œil des pèlerins, mais ils avaient reculé devant les 25 mètres du

1. Domenico Fontana, *Della trasportatione dell'obelisco vaticano*, Rome, 1590.

2. Lebas, *L'Obélisque de Luxor*, p. 169 à 186.

Des centaines d'hommes à l'œuvre sur la place Saint-Pierre.

monolithe. C'est à Sixte-Quint que devait revenir cette audace. Aussitôt élu, le souverain pontife voulut « purifier » un certain nombre de monuments hérités du « paganisme » et décida de commencer cette pieuse entreprise par l'obélisque.

Le 25 septembre 1585, les plus grands architectes d'Italie et d'ailleurs sont invités au Vatican pour présenter des projets. Cinq cents répondent à l'appel. La plupart proposent de transporter l'obélisque debout plutôt que de l'abattre. Quelques-uns imaginent de l'incliner à 45°, mais personne, à part Domenico Fontana, 42 ans, originaire du Tessin, n'envisage de le coucher, puis de le traîner sur des rouleaux jusqu'au sommet du piédestal pour l'ériger à nouveau. La commission est sceptique, mais

Fontana réussit finalement à la convaincre, et Sixte-Quint, séduit par sa détermination, lui donne les pleins pouvoirs : il pourra disposer de tous les moyens matériels nécessaires à son entreprise et exproprier les habitants de toutes les maisons qui gêneraient le passage du monolithe.

Des charrettes à grandes roues, traînées par sept paires de bœufs, vont chercher d'énormes troncs dans la forêt de Campo Morto, située à une trentaine de kilomètres de Rome. L'architecte construit un échafaudage gigantesque – « le château de Fontana » – qui doit servir à l'abattage de l'obélisque puis à son érection sur la place Saint-Pierre. De mémoire de Romain, jamais autant de madriers, de moufles, de poulies, de cabestans, de colliers de fer et de cordages n'ont été utilisés dans un chantier.

Il est prévu d'élever d'abord le monolithe de 70 centimètres au-dessus du piédestal pour pouvoir engager sous sa base une plate-forme à rouleaux sur lequel il sera couché. L'opération a lieu le 30 avril 1585. Dans les jours qui précèdent, les autorités font barricader toutes les rues qui aboutissent sur la place. Par ordre du pape, quiconque franchit l'une des barrières subira la peine capitale.

Avant le lever du jour, deux messes sont célébrées pour implorer le Saint-Esprit. Un silence de mort règne parmi les centaines d'ouvriers et la foule qui s'est rassemblée autour de l'enceinte et sur les toits des maisons. « L'ouvrage que nous allons entreprendre, proclame Fontana, est consacré à la religion, à l'exaltation de la Sainte Croix. Implorez avec moi l'assistance de Dieu, du souverain moteur… » Tous les assistants tombent à genoux pour réciter avec lui un *Pater* et un *Ave*. L'architecte se relève, s'assure que chacun est bien à son poste puis agite un drapeau. Au premier coup de trompette, le système se met en branle. Les cabestans tournent sur leurs

Le « château de Fontana ».

axes, les palans se tendent, l'extrémité des leviers s'abaisse, les coups de masse retentissent, et l'obélisque commence à se mouvoir. Le château fait entendre un craquement effroyable. On croirait que la terre tremble. À dix heures du soir, le monolithe a été soulevé d'un demi-mètre. Une salve d'artillerie salue ce premier succès…

Couché, transporté jusqu'à son nouvel emplacement, l'obélisque est érigé le 10 septembre de l'année suivante, après les mêmes préparatifs et les mêmes cérémonies religieuses. 40 cabestans, mus par 800 hommes et 140 chevaux, tirent sa partie supérieure, tandis que quatre moteurs semblables font avancer la base et la plate-forme qui lui sert d'appui.

On racontera par la suite que la manœuvre faillit échouer lorsque l'obélisque arriva à une certaine hauteur : les câbles s'étaient distendus sous le poids énorme qu'ils avaient à supporter. Un ouvrier, pris d'une soudaine inspiration, aurait crié alors : « Mouillez les cordages ! », et, grâce à ce conseil judicieux, Fontana put éviter la catastrophe.

Balivernes ! estime Apollinaire Lebas. Il est bien placé pour savoir qu'une corde trop tendue finit par se briser : toute l'eau du Tibre ne suffirait pas à empêcher ses fils de casser l'un après l'autre. En la mouillant, on hâterait même le moment de la rupture. Mais la légende est tenace : on la retrouvera cent ans plus tard, sous la plume d'un journaliste français, pour décrire cette fois l'érection de l'obélisque de la Concorde[3]…

Lebas a décortiqué le récit de Fontana pour tirer des leçons de son exploit. Il ne s'agit pas de copier l'Italien : deux siècles et demi ont passé depuis l'érection de l'obélisque de la place Saint-Pierre, pour lequel des moyens considérables avaient été

3. Albéric Cahuet, *L'Illustration*, n° 4738, 23 décembre 1933.

mobilisés. Les arts mécaniques ont évolué dans l'intervalle : le Français n'aura pas besoin, lui, d'abattre « toute une forêt des Apennins ». Mais comment ne pas penser à l'impressionnante opération de 1586 ? L'ombre de Fontana plane sur la place de la Concorde.

25

La vapeur en échec

Depuis qu'il a quitté le *Luxor*, l'obélisque a été successivement hissé sur la rampe du pont de la Concorde, puis halé jusqu'à la place. Il s'agit maintenant de le conduire au viaduc d'élévation.

Le 16 août 1836, tout est prêt pour accomplir ce troisième voyage. Mais Lebas apprend au dernier moment que les artilleurs sur qui il comptait sont retenus au polygone de Vincennes pour des exercices devant le roi de Naples. « Cette manœuvre, explique-t-il, exigeait un grand nombre de bras, et des bras exercés et intelligents. Pris au dépourvu, au moment où l'appareil était prêt à fonctionner, où toutes les dépenses étaient faites, je fis appeler les maçons qui travaillaient au viaduc. Pour la première fois, ces hommes vinrent se ranger sur les barres d'un cabestan[1]. » Leurs biceps font merveille : l'opération, menée par étapes, est terminée le 8 septembre malgré quelques incidents imprévus.

Pour faire arriver l'obélisque jusqu'au centre de la place, on a construit une chaussée inclinée, longue de 120 mètres, qui

1. Lebas, *L'Obélisque de Luxor*, p. 154.

part du quai et aboutit au sommet du piédestal. C'est sur ce viaduc en pente douce que le monolithe va être traîné. On le placera sur un chariot dont la surface porteuse ne sera pas parallèle au plan incliné, mais au sol, pour qu'il soit maintenu horizontalement tout au long de sa course.

Pour ce quatrième et dernier déplacement, il a été décidé de se servir d'une machine à vapeur. Plusieurs raisons militent en ce sens, selon l'ingénieur Lebas, à qui la direction des Bâtiments civils a donné son accord [2].

D'abord, une machine à vapeur ferait gagner du temps. Il suffirait de cinq à six jours (au lieu d'un mois) pour hâler l'obélisque jusqu'au centre de la place, et une heure (au lieu de seize) pour le dresser sur son piédestal. Cela réduirait la gêne occasionnée à la circulation.

Ensuite, une machine à vapeur permettrait de disposer d'une force unique, que l'on pourrait augmenter ou diminuer à volonté. Elle mettrait à l'abri d'accidents pouvant « résulter de l'emploi d'une masse d'hommes toujours turbulents, difficiles à diriger, qui peuvent, soit volontairement, soit par inadvertance ou par inexpérience, compromettre le succès de la manœuvre ».

Enfin, l'emploi d'une machine, en cette circonstance, serait très instructif. Il montrerait « aux hommes de l'art, aux navigateurs et aux industriels tout le parti qu'on peut tirer de la vapeur ».

Un engin de 40 chevaux est commandé le 15 juillet 1834 à M. Cavé, ingénieur-mécanicien, dont la fabrique se trouve 214, rue du Faubourg-Saint-Denis. Le ministère de la Marine accepte de prendre en charge la moitié de la dépense, estimée

2. Lettre du 23 décembre 1833, Archives nationales, $F^{13}1230$, p. 336 et 346.

à 80 000 francs, étant entendu qu'il sera propriétaire de la machine après l'érection de l'obélisque [3].

M. Cavé va se faire attendre. L'appareil devait être livré initialement en juillet 1835, mais la date est reportée au 1er mars suivant. Fin avril, toujours pas de machine à vapeur. Une commission se rend à la fabrique pour constater que les roues de friction, les grands treuils et les coussinets en cuivre n'ont pas encore été fondus. On écrit au mécanicien pour lui rappeler son engagement et menacer de dénoncer le contrat.

La machine est enfin livrée et prête à manœuvrer le 25 août. De nombreux Parisiens accourent pour assister à sa mise en marche. Las ! L'essai est décevant : les chaudières de M. Cavé ne fournissent pas assez de vapeur. Au lieu d'une action régulière, elles impriment des secousses à l'obélisque, qui pourraient être très dangereuses dans la phase finale, au moment de l'asseoir sur le piédestal. La mort dans l'âme, il est décidé de renoncer à la machine, pour ne prendre aucun risque. Les ouvriers la démontent, devant le public très déçu.

Lebas est le premier à regretter cet échec qui va l'obliger à modifier immédiatement ses plans, car l'hiver approche et l'opération pourrait être renvoyée à l'année suivante. « Nulle occasion ne pouvait s'offrir plus brillante et plus solennelle de faire éclater aux yeux de tout un peuple assemblé la puissance de ce merveilleux agent, écrira-t-il. C'eût été un spectacle bien imposant que de voir un fardeau de 500 milliers [4] s'élever majestueusement dans l'espace, sans le secours d'aucune force animale, et se dresser sur sa base à l'aide d'une des plus puissantes inventions des temps modernes, la seule

3. Archives nationales, F 13 1231, p. 101, 104, 106 et 107.
4. Un millier, ou 1 000 livres, équivaut à 489,5 kg.

peut-être dont l'Antiquité ne soit pas fondée à réclamer la priorité [5]. »

Le Journal des débats publie un commentaire significatif : « C'était une heureuse idée que d'inaugurer la machine à vapeur dans une occasion solennelle. Pour une partie du public, la machine à vapeur est de l'inconnu, une sorte de création mystérieuse et formidable, sujette à éclater comme le tonnerre. Il était bien d'associer les monuments des arts antiques avec l'un des plus beaux produits de l'esprit inventif des temps modernes. Il était bien de montrer à deux cent mille personnes une de ces machines si mal à propos redoutées du vulgaire, saisissant sans embarras l'obélisque de Sésostris, et le soulevant peu à peu, sans fracas, avec une régularité parfaite, sans le secours d'aucun être vivant, sauf un chauffeur chargé d'alimenter de charbon le foyer, âme de la machine [6]. »

Mais *Le Journal des débats* ne veut pas désespérer Paris… Tout en déplorant « une imprévoyance de détail » qui a obligé à renoncer à la machine, il estime que « les partisans de la mécanique moderne ont, pour se consoler de l'échec que vient d'éprouver la vapeur, les triomphes dont elle poursuit le cours et sur terre et sur mer ». Les « ingénieux appareils » installés sur la place de la Concorde, très différents « des échafaudages compliqués » dont on s'était servi à Rome, ne sont-ils pas aussi de la mécanique moderne ?

La Gazette de France exprime sa déception de manière plus cinglante. Comment se fait-il « qu'à Paris, la métropole des sciences, comme nous disons tous les jours, on passe des semaines et des mois en tâtonnements pour relever ce qu'on a si facilement abattu ? Est-ce que la grande ville ne renferme

5. Lebas, *L'Obélisque de Luxor*, p. 155.
6. 16 octobre 1836.

pas d'ingénieurs assez experts pour calculer à l'avance si les moyens que l'on propose atteindront le but indiqué ? Comment a-t-on fait le choix d'une machine à vapeur et pourquoi l'a-t-on abandonnée à la première tentative ? On voulait, disait-on, faire parcourir au monolithe trois pieds et demi par minute. Il s'agit bien de vitesse, vraiment, quand on a de pareilles masses à remuer ! C'était un pied en trois heures qu'il fallait lui faire parcourir ; alors il n'y aurait pas eu de secousses et les dents des roues n'auraient pas cassé. On a voulu employer de la vitesse là où il ne fallait que de la force [7] ».

Les mécaniciens anglais ont bien raison de se moquer de nous, ajoute le journal. « En Angleterre, on aurait pour une opération de ce genre employé une petite machine à vapeur, qui n'aurait servi qu'à faire mouvoir les leviers de presses hydrauliques puissantes. Chaque coup de piston n'aurait pas fait avancer le monument de plus d'une ligne, mais on aurait eu la certitude d'arriver au terme sans accident. »

Et l'auteur de l'article finit par s'exclamer : « Mais, enfin, ce n'est pas une montagne à remuer que ce morceau de granit ; il n'a, après tout, que 70 pieds de long environ, et 5 pieds d'équarrissage à la base, et il ne pèse que 500 milliers. Est-ce que la vergogne ne prendra pas à nos mécaniciens ? Est-ce qu'ils ne se présenteront pas avec quelque moyen bien simple pour mettre cette pierre debout ? Les druides ont-ils fait des plans inclinés pour mettre en place les quatre mille pierres levées des monuments de Carnac ? »

L'échec de la machine à vapeur encourage des farfelus à proposer de nouveau leurs services. Ainsi, un certain Louis Mazzara écrit au roi et au ministre, assurant qu'il peut placer

7. 21 octobre 1836.

en vingt-quatre heures l'obélisque sur son piédestal, « sans le concours, ni de la vapeur, ni de cabestans » et en n'employant que six hommes [8]. Ce magicien n'a pas révélé comment il comptait opérer…

8. Archives nationales, F^{13}1231, p. 130 et 131.

26

Tête nue

L'obélisque n'est pas parfait : il se termine par un pyramidion aux faces irrégulières, qui contraste avec la remarquable finition de son fût. Faut-il le laisser dans cet état ? La question s'est posée dès son arrivée à Paris. Et le débat va se poursuivre jusqu'à la veille de son érection.

L'architecte de la place de la Concorde, Jacques-Ignace Hittorff, a d'abord pensé que le monolithe devait être surmonté d'une étoile, comme sur le simulacre soumis aux Parisiens. Une telle décoration, selon lui, « ajouterait à la hauteur du monument », relativiserait l'état de dégradation du pyramidion et « offrirait au loin une réunion de ces points brillants qui attirent l'œil de manière agréable »[1].

Son idée n'est – heureusement ! – pas retenue. Lui-même change d'avis et se prononce plutôt pour une coiffe en bronze dorée : l'obélisque, dit-il, retrouverait ainsi sa forme d'origine, comme il l'explique en 1836 dans un fascicule de quinze pages, au titre interminable : *Précis sur les pyramidions en bronze doré, employés par les anciens Égyptiens comme couronne-*

1. Lettre du 2 octobre 1833 au directeur des Travaux publics.

ment de quelques-uns de leurs obélisques, à l'appui de la proposition de restituer de la même manière le pyramidion de l'obélisque de Louqsor.

Plusieurs témoignages d'auteurs de l'Antiquité ou de voyageurs du Moyen Âge font état de pyramidions étincelants, souligne Hittorff. Il cite en particulier un ouvrage arabe, datant du quinzième siècle, qui a été traduit en français. On y apprend que deux obélisques de Matarieh, sur le site de l'ancienne Héliopolis, comptaient encore à l'époque « deux bonnets pointus en cuivre ». L'architecte de la place de la Concorde y ajoute une « preuve » supplémentaire : des membres de l'équipage du *Luxor* lui ont affirmé avoir vu à l'intérieur du temple où ils logeaient « la représentation figurée d'un obélisque avec un pyramidion peint en jaune ».

Hittorff est persuadé que la pointe du monolithe était imparfaite dès l'origine. Sa dégradation ne peut être attribuée à l'action du temps : le granit d'Assouan résiste très bien aux éléments naturels, comme le montrent des monuments semblables. Il ne peut s'agir non plus d'un acte de vandalisme : si on avait voulu s'attaquer à l'obélisque, on aurait commencé par marteler les hiéroglyphes gravés sur ses faces.

L'architecte ne peut pas croire que les Égyptiens avaient exposé à l'entrée du temple de Louqsor un obélisque imparfait, au pyramidion plus trapu que celui de son jumeau. S'ils s'étaient contentés de dégrossir au pic sa pointe, affirme-t-il, c'était pour la revêtir ensuite d'un capuchon métallique. D'ailleurs, la base du pyramidion est en léger retrait par rapport aux arêtes supérieures du monolithe : elle devait certainement servir de point d'appui à un revêtement.

Hittorff ajoute à ces arguments une considération plus esthétique : l'obélisque doit participer à l'embellissement de la place de la Concorde. On n'a pas besoin, selon lui, d'un objet de curiosité, à l'air mutilé, mais d'un « monument complet ou complété et en harmonie avec ce qui l'entoure ». Un pyramidion en bronze doré se marierait bien avec les boules et les chapiteaux des vingt colonnes rostrales de la place. L'obélisque, « faisant briller au loin l'éclat de ses surfaces », dominerait la scène, explique le spécialiste de la polychromie antique, qui cherche visiblement à mettre en application ses théories.

Hittorff s'attire une pluie d'objections. Rien ne prouve, lui dit-on, que les obélisques égyptiens étaient recouverts d'une coiffe métallique. Certains, en tout cas, ne l'étaient pas, puisque leur pyramidion de granit est bien fini, poli sur toutes ses faces et couvert de hiéroglyphes. Quant aux dorures décrites par certains auteurs de l'Antiquité, elles n'étaient pas forcément le fait des Égyptiens eux-mêmes, mais des Grecs ou des Romains, qui avaient dénaturé ces monuments.

Un architecte, Lepage, publie à son tour une plaquette pour répondre à Hittorff [2]. Il cite un texte de Pline (livre 36) à propos d'une aiguille de granit, élevée à Alexandrie sous les Ptolémées. Ce texte fait état d'un préfet d'Égypte qui avait voulu retrancher le sommet d'un obélisque pour y mettre à la place « un faîte doré ». Autrement dit, ce pyramidion ne s'y trouvait pas à l'origine. Parlant d'une aiguille de pierre similaire, Pline donne la précision suivante : « Manilius, mathématicien, l'embellit par une pointe dorée. » Là aussi, c'est bien la preuve qu'elle n'y était pas initialement...

Harcelé par Hittorff, le Conseil des Bâtiments civils décide de prendre des avis. Il consulte l'ingénieur Lebas ainsi que

2. J.-B. Lepage, *Réponse à la notice de M. Hittorff sur les pyramidions en bronze doré*, Paris, 1836.

deux anciens membres de l'Institut d'Égypte, Edme Jomard et Prosper Jollois. Les trois se prononcent contre le bronze doré et préconisent plutôt un nouveau pyramidion en granit.

À partir de là, on va assister à un incroyable cafouillage. Le pyramidion en granit est commandé à Brest en mai 1836, mais la commande est annulée en août : sous la pression d'Hittorff, le Conseil, divisé, a fini par se rallier au bronze. Mais pas au bronze doré, pour que la différence de couleur avec le reste de l'obélisque ne soit pas trop marquée.

L'architecte, à moitié satisfait, reprend sa plume pour réclamer la dorure. Celle-ci, explique-t-il, ne serait pas seulement agréable à la vue : elle empêcherait que l'oxyde de cuivre qui se formera inévitablement sur les plans inclinés du pyramidion ne coule le long de l'obélisque, occasionnant des taches vertes du plus mauvais effet. Plus grave : l'oxydation rongerait les hiéroglyphes [3]. Mais cet argument n'ébranle pas l'administration.

Une première fonte du pyramidion échoue. On procède à une deuxième, avec plus de succès, et la coiffe métallique est livrée le 20 octobre sur la place de la Concorde. Là, curieusement, les autorités reviennent une fois de plus sur leur décision : non, pas de bronze, le monolithe sera érigé tête nue. Le pyramidion sera restauré « à l'aide d'un mastic auquel on donnera la couleur du granit ».

Hittorff proteste, faisant valoir que l'enduit ne tiendra pas, que « les pluies et les gelées en feront sans doute prompte justice ». On lui rétorque qu'un tel procédé a été employé avec succès à la restauration de plusieurs monuments publics, dont l'Hôtel de Ville de Paris. Et l'affaire en reste là… pour le moment.

3. Lettre du 23 septembre 1836, Archives nationales, F[13]1231, p. 189.

27

Un funeste accident

Trois jours après l'abandon de la machine à vapeur, un autre système, mis en place par l'ingénieur Lebas, est prêt à fonctionner. Son auteur le présente en ces termes : « Quatre cabestans avaient été installés à la naissance du viaduc. À chacun venait s'enrouler le chef d'un moufle. Les poulies de ces apparaux étaient attachées à deux solives, dont l'une était fixée au ber ; l'autre, placée sur le piédestal, était retenue par huit chaînes, qui, partant du côté opposé au chemin de pente, venaient s'amarrer à des pieux fichés en terre[1]. »

Cette fois, les artilleurs sont présents. Leur capitaine a mis ses deux trompettes sous les ordres de Lebas, qui, armé d'un porte-voix, va diriger la manœuvre. Répartis sur les cabestans, ils font avancer l'obélisque sur le plan incliné, l'orientant à droite ou à gauche, selon le besoin, pour le maintenir en parfaite direction. Le monolithe parcourt en moins de cinq heures la longueur du viaduc. On lui fera franchir les derniers centimètres à coups de bélier, le 1er octobre 1836, pour le conduire exactement contre le piédestal.

1. Lebas, *L'Obélisque de Luxor*, p. 156.

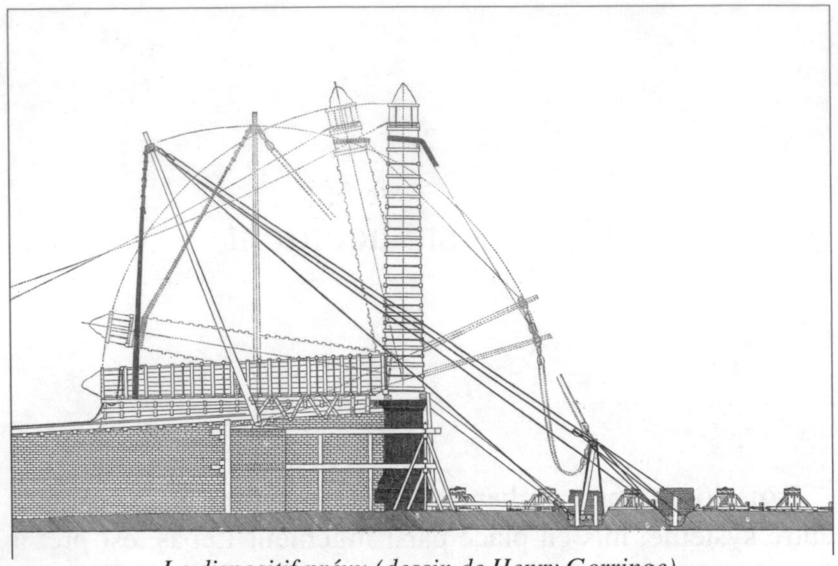

Le dispositif prévu (dessin de Henry Gorringe).

Cela s'arrose. « Hier, après la grande opération, les ouvriers charpentiers, maçons, marins et les artilleurs se sont réunis pour vider maintes rasades à la santé de Sésostris et de son obélisque, écrit *Le Temps*. Aujourd'hui, un immense drapeau tricolore flotte sur le pied du monolithe. Ce matin, à peine arrivé de Cologne, le ministre de l'Intérieur est venu visiter les travaux qui ont été faits pendant son absence, et donner le pour-boire aux ouvriers [2]. »

Les appareils mis en place pour l'érection de l'obélisque ressemblent beaucoup à ceux qui avaient servi à l'abattre à Louqsor. Ce sera en quelque sorte une manœuvre à l'envers. Près du piédestal, on a dressé un énorme chevalet, dont la base peut tourner sur elle-même. Ses dix mâts verticaux sont reliés au sommet de l'obélisque par des câbles qui attireront

2. 3 octobre 1836.

vers eux le monolithe, puis lui feront décrire un quart de cercle. Lebas a obtenu – malgré l'avis défavorable d'Hittorff – qu'un trait de scie soit effectué à l'assise supérieure du piédestal afin que l'obélisque pivote avec plus de sûreté sur son socle [3]. Mais, pour que ce dernier, qui lui servira de point d'appui, ne soit pas culbuté sous la pression, on l'a entouré d'une ceinture en charpente dont les pièces sont scellées dans un mur.

Les journaux cherchent les images les plus parlantes pour expliquer le système à leurs lecteurs : « Qu'on se figure une tabatière dont le couvercle, fermé, s'ouvre progressivement, et, tournant sur sa charnière, vient se placer à angle droit par rapport au reste de la boîte », écrit *Le Journal de Paris*. L'obélisque, pris en cravate par quatre câbles en fer, sera d'abord soulevé par la tête. Puis, retenu, pour qu'il ne soit pas entraîné trop loin par l'action de la pesanteur.

La fissure qui l'avait tant inquiété à Louqsor n'est plus un souci pour Lebas. À la base du monolithe, il a remplacé les clés de bois, tombées en poussière, par des pièces de bronze. Il n'a même pas jugé nécessaire de faire plusieurs entailles en queue d'aronde sur les faces pour y introduire des clés de granit, comme le préconisait Hittorff [4]. Un masticage suffira.

Tout le monde souhaite-t-il le succès de l'entreprise ? Un matin, on s'aperçoit que l'une des cordes devant servir à l'érection de l'obélisque a été coupée par un instrument tranchant. La nuit suivante, le chantier sera gardé par les charpentiers et la troupe de ligne, en attendant de passer sous la surveillance des sergents de ville [5]. Dans son livre, Lebas dénoncera « les procédés de quelques esprits jaloux, fort peu

3. Archives nationales, F^{13}1231, p. 243.

4. Lettre du 20 janvier 1836 au directeur des Bâtiments et Monuments publics, Archives nationales, F^{13}1231, p. 440.

5. *Le National*, 24 octobre 1836.

nombreux du reste, qui ont visiblement cherché à entraver notre opération[6] ». Est-ce une allusion à ce câble sectionné ? Ou à d'autres choses ? On ne saura rien de plus.

Le 24 octobre 1836, l'appareil est terminé. Il faut l'essayer et convenir de signaux pour régler la marche des treuils. Une foule importante s'est portée sur la place de la Concorde, où la circulation a été interdite.

À midi, 350 artilleurs sont répartis sur les barres des cabestans. Les commandements doivent s'exécuter au son de la trompette. Quelques minutes plus tard, Lebas donne le signal de la marche lente. Aussitôt, les clairons sonnent, les cabestans tournent sur leur axe, les câbles se raidissent, et le chevalet commence à se redresser de manière imperceptible, entraînant le sommet du monolithe. Le maître-charpentier, placé en vigie, s'écrie : « L'obélisque est parti ! » Voyant que tout se passe comme prévu, Lebas est tenté de continuer la manœuvre : il fait soleil, c'est une belle journée d'automne, peut-être la dernière de l'année… Mais, à son grand regret, on lui ordonne de renvoyer au lendemain la suite de l'opération, pour permettre sans doute à la famille royale d'y assister.

Ayant cessé le travail, les artilleurs se livrent à des exercices de gymnastique autour des cabestans. Plusieurs d'entre eux jouent avec l'un des appareils de levage muni d'un treuil. Soudain, le câble d'amarrage se déroule, entraînant l'appareil lui-même qui va heurter avec fracas une barrière d'enceinte derrière laquelle se trouvent des spectateurs. Un marchand d'habits de 46 ans, nommé Châtelain, est tué. Sa veuve recevra 1 000 francs, tandis que plusieurs blessés auront droit aussi à une petite indemnité[7].

6. Lebas, *L'Obélisque de Luxor*, p. 166.
7. Archives nationales, F[13]1231, 25 novembre et 5 décembre 1836.

« Ce funeste accident », écrit *La Gazette de France,* renforce « la croyance populaire qui attache une idée de malédiction » à la place de la Concorde. « Peu de lieux ont été marqués par des événements plus sinistres, et une sorte de fatalité a fait manquer toutes les entreprises qui ont eu pour but de l'embellir. » Même l'herbe a refusé d'y pousser, affirme le journal, en se demandant si l'ingénieur Lebas pourra en sortir indemne.

Une cavité a été creusée en haut du piédestal pour y glisser un coffret en bois de cèdre contenant des monnaies d'or et d'argent – françaises, ptolémaïques et romaines –, ainsi que deux médailles à l'effigie du souverain, portant cette inscription : « Sous le règne de Louis-Philippe Ier, roi des Français, M. de Gasparin étant ministre de l'Intérieur, l'obélisque de Louqsor a été élevé sur son piédestal, le 25 octobre 1836, par les soins de M. Apollinaire Lebas, ingénieur de la Marine [8]. »

Il ne reste plus qu'à accomplir ce qui est écrit.

8. Archives nationales, F 13 1231, p. 343.

28

Le 25 octobre 1836

Le ciel est couvert, mais, Dieu merci, il ne pleut pas. Ce 25 octobre en début de matinée, quelque deux cent mille Parisiens ont envahi la place de la Concorde, les terrasses des Tuileries et l'avenue des Champs-Élysées, pour assister au dernier acte d'une aventure commencée cinq ans et six mois plus tôt. Il avait été question de barricader la place pour empêcher le public d'y pénétrer, mais finalement l'accès est libre.

Apollinaire Lebas sent peser 220 tonnes sur ses épaules. « Ce drame, raconte-t-il, pouvait ne pas être exempt d'une terrible péripétie ; car un ordre mal compris, un amarrage mal fait, une pièce de bois viciée, un boulon tordu ou cassé, un frottement ou une résistance mal appréciés, enfin mille accidents imprévus pouvaient amener une catastrophe épouvantable : l'obélisque brisé, des millions perdus ; et plus de cent ouvriers infailliblement écrasés par la chute de l'appareil[1]... »

C'est la première fois que Louis-Philippe doit participer à une cérémonie publique depuis l'attentat manqué contre lui en juillet de l'année précédente. Il compte bien profiter de

1. Lebas, *L'Obélisque de Luxor*, p. 161.

l'obélisque pour soigner sa popularité, mais ne voudrait pas être associé à un échec : il ne fera donc pas son apparition tout de suite au balcon à colonnes du ministère de la Marine, drapé en son honneur de velours vert et de percaline bleue.

Le 28 juillet 1835, le roi a échappé de peu à une machine infernale installée à la fenêtre d'une maison du boulevard du Temple. Au moment où il passait avec sa suite, vingt-cinq fusils ont tiré simultanément sur le cortège, tuant onze personnes, dont le maréchal Mortier. Lui-même l'a échappé de peu, s'en tirant avec une éraflure au front. Les auteurs de l'attentat, des Corses républicains, ont été arrêtés et exécutés, mais cela n'a pas empêché, onze mois plus tard, un anarchiste de tirer sur le souverain au pont Royal, sans l'atteindre... Par souci de sécurité, Louis-Philippe n'a pu assister, le 29 juillet 1836, à l'inauguration de l'Arc de triomphe, place de l'Étoile, à laquelle il tenait pourtant beaucoup. La revue militaire prévue a été décommandée, pour être remplacée par une cérémonie sans faste, à sept heures du matin [2]. Privé de l'Étoile, le roi aura au moins la Concorde.

À 11 h 30, juché sur le piédestal destiné à l'obélisque, l'ingénieur Lebas donne l'ordre attendu. Au son du clairon, les artilleurs commencent leur marche circulaire et cadencée. Tout le monde retient son souffle. Les dizaines de musiciens placés près du ministère de la Marine, à l'angle de la rue Saint-Florentin, pour interpréter *Les Mystères d'Isis* de Mozart, ont rangé leurs archets. Les spectateurs se haussent sur la pointe des pieds et ne voient rien. Le sommet du monument s'élève imperceptiblement. Mais c'est sa base que Lebas et ses collaborateurs observent avec inquiétude : sous la compres-

2. Guy Antonetti, *Louis-Philippe*, Paris, Fayard, 1994, p. 761.

Gravure publiée en 1837 dans le Magasin pittoresque.

sion, le tourillon roule sur lui-même, faisant jaillir le suif qui y a été appliqué, et même le suc du bois. Mais, après tout, il fallait s'y attendre. Cela ne menace pas le mouvement de l'obélisque.

À midi, rassuré par la tournure des opérations, Louis-Philippe apparaît au balcon, accompagné de la reine, des ducs d'Orléans et d'Aumale, du duc de Montpensier, des jeunes princesses, ainsi que du roi des Belges. Le président du Conseil et plusieurs ministres sont présents. Parmi les membres du corps diplomatique, on remarque l'ambassadeur ottoman, revêtu de son costume oriental. L'Égypte, en revanche, simple province de l'Empire, n'a pas de représentant.

La reine est encore hantée par les attentats. Sans cesse elle se place devant Louis-Philippe, note Rambuteau, le préfet de la Seine, qui « la supplie de permettre à la foule d'apercevoir Sa Majesté ». « Me répondez-vous de sa vie ? » demande-t-elle [3].

Sur le piédestal, Apollinaire Lebas sent des trépidations qui l'inquiètent. Un craquement s'étant fait entendre, il donne l'ordre d'arrêter. On cherche l'origine de ce bruit. « Rien n'a bougé, vous pouvez continuer », dit Lepage, l'inspecteur des travaux. Les charpentiers se montrent confiants eux aussi : « Les bois se sont assurés, voilà tout. »

L'ingénieur commentera par la suite : « Tout était en bon ordre. Seulement la tension des deux moises était si considérable qu'elles résonnaient au plus petit choc comme une corde de violon [4]. » Des boulons ont commencé à se tordre. Lebas sait que si le système cède, l'obélisque, le chevalet et la moitié du piédestal peuvent être projetés violemment du côté de la Madeleine, provoquant une effroyable catastrophe.

La manœuvre reprend. L'ingénieur fait le signal de la marche accélérée. Alors, on voit l'obélisque s'élever sans bruit et sans secousse. Pendant quarante minutes, il va parcourir ainsi un autre tiers de son chemin, pour arriver quasiment dans la position où il peut reposer sur le piédestal. L'action des cabestans est suspendue pour préparer la dernière phase de l'opération. Et, là, on s'aperçoit que, la veille, un ordre a été oublié : celui de refaire l'amarrage provisoire qui bride les chaînes de l'obélisque. Heureusement, cela a été sans conséquence. Deux marins grimpent au sommet du monolithe pour s'en occuper.

Un autre incident survient à peu près au même moment,

3. *Mémoires du comte de Rambuteau*, Paris, 1905, p. 389.
4. Lebas, *L'Obélisque de Luxor*, p. 162.

quand Lebas demande à l'un des charpentiers de calculer précisément la hauteur de l'arête de la base au-dessus du lit de pose. L'homme mesure avec un pied, veut convertir le résultat en mètre, et se trompe dans le calcul : il annonce 1,10 mètre, au lieu de 0,75. Cela oblige à modifier le dispositif, qui n'était prévu que pour une hauteur de 0,95 mètre. On se met aussitôt à l'œuvre, mais pour constater l'erreur et arrêter ce travail aussi pénible qu'inutile…

Interrompue au total pendant soixante-quinze minutes, la manœuvre reprend. L'émotion grandit dans la foule. À 14 h 30, quand l'obélisque vient enfin se poser sur son piédestal, un long murmure parcourt la place. Louis-Philippe donne le signal des applaudissements. Il se découvre ensuite pour saluer le drapeau tricolore qu'un matelot de première classe, Morel, et le premier ouvrier charpentier, Labrie, sont allés attacher au sommet du monument.

Apollinaire Lebas est appelé auprès du roi, qui, dans l'enthousiasme, veut le faire commandeur de la Légion d'honneur. Mais, sur une observation du ministre de la Marine, Louis-Philippe doit renoncer à ce geste. Lebas n'obtiendra cette promotion que… vingt-deux ans plus tard. Il est néanmoins félicité de toutes parts et invité le soir même à dîner aux Tuileries. Du palais, il verra le pyramidion et la base de l'obélisque illuminés par les charpentiers. Une foule nombreuse se presse encore sur la place de la Concorde.

Le roi remet 3000 francs à l'ingénieur, le chargeant de les distribuer aux ouvriers. Deux semaines plus tard, le ministre de l'Intérieur lui annoncera une récompense personnelle de 4000 francs, et des gratifications plus modestes pour ses principaux collaborateurs. On parle déjà de lui pour opérer l'élévation de la grande cloche de Saint-Pétersbourg…

L'obélisque en place, encore emmailloté de bois (dessin de Lebas).

L'obélisque n'a pas la même orientation qu'à Louqsor. Il est décalé de 26° par rapport aux points cardinaux pour correspondre aux deux grands axes de la place de la Concorde, allant des Tuileries aux Champs-Élysées et de la Madeleine au Palais-Bourbon. Consolation : l'ancienne face ouest du monument, qui regardait le Nil, donne maintenant sur la Seine.

La petite histoire retiendra que le monolithe a transporté avec lui… des scorpions. Les ouvriers ont trouvé, entre la charpente et la pierre, quelques-unes de ces bêtes redoutées, qui ont été remises à la mairie du deuxième arrondissement. « Il nous semble qu'on aurait mieux fait de les déposer au Jardin des Plantes », écrit *Le Journal de Paris*.

1. Jean-Baptiste Apollinaire Lebas,
ingénieur de la Marine.

2. L'érection de l'obélisque sur la place de la Concorde, le 25 octobre 1836.

3. Dessin paru le 12 septembre 1833 dans le n° 149 de *La Caricature*, revue satirique. Avec ce commentaire, évoquant la célèbre poire à laquelle Daumier avait associé la figure de Louis-Philippe : « Voici le grand obélisque de LUXE-NEZ proposé par *La Caricature*, pour faire pendant au grand obélisque de LUXOR. Cette pyramide nasicale du Juste-Milieu devrait être fichée sur la place de la Révolution ; ses hiéroglyphes résumeraient les faits principaux du régime-citoyen. Ce serait une histoire en rébus. C'est ainsi que le LUXE-NEZ, surmonté par une poire maigre laisse voir à son faîte une série d'emblèmes commençant par le coq gaulois et les poignées de main et se continuant à travers les chambres improstituées, les embastillements, la paix à tout prix, les croix d'honneur, les pistolets philanthropes, les perruques, les riflards et les sergens de ville, jusqu'à son résumé le plus exact, à savoir une grosse poire supportée par des canards. On sait que dans la langue hiéroglyphique la poire est le symbole de l'astuce, et le canard celui de la duperie. Cet emblème pyramidal du régime-citoyen est entouré d'une barrière formée de sacs d'argent et gardée par un factionnaire, le tout représentant l'amour populaire et le suffrage unanime. » (Musée Carnavalet, Paris.)

4. Portrait de l'architecte de la place de la Concorde, Jacques-Ignace Hittorff, par Ingres. (Musée du Louvre, Paris.)

5. – Vous demandez une contremarque pour visiter l'intérieur de l'obélisque ? Impossible, il est plein.
L'Anglais : – Very well. Je repasserai.
(Estampe de E. Roevens, intitulée « Train de plaisir des Anglais venant visiter Paris », Musée Carnavalet, Paris.)

6. Service religieux célébré par l'archevêque de Paris, lors de la célébration du premier anniversaire de la proclamation de la République, le 4 mai 1849. (*L'Illustration*, août 1849.)

7. Le temple pseudo-égyptien, construit autour de l'obélisque, à l'occasion de la fête de l'Empereur, le 15 août 1866. (Photographie anonyme, BnF.)

8. L'obélisque, avant la pose du pyramidion,
vu de l'une des deux fontaines de la place de la Concorde.

9. Alain Robert, dit « l'homme-araignée », escaladant l'obélisque avant d'être interpellé par la police, le 18 avril 1998.

10. Un préservatif géant posé par l'association Act Up, le 1er décembre 1993, pour attirer l'attention sur les ravages causés par l'épidémie de sida.

11. Vu du ciel, l'obélisque avec son pyramidion doré.

29

Polémiques postopératoires

Les chantiers de la Concorde vont subsister quelques mois encore, le temps de supprimer les remblais, de retirer les charpentes et d'enlever la cale d'échouage du *Luxor* après la baisse des eaux de la Seine. Du 15 mai au 1er août 1837, l'obélisque aura « un gardien de jour et de nuit » en la personne d'un invalide, nommé Gauthier. Cet ancien vétéran des guerres napoléoniennes sera payé trois francs à la journée et logé dans une maisonnette sur place [1]. Une guérite à sentinelle, installée au pied du monument, restera là plusieurs années. Elle donnera lieu à une plaisanterie sur l'homme « capable de voler l'obélisque [2] »…

Les caricaturistes ne se privent pas d'un si bon sujet, qui est l'occasion de se moquer des touristes anglais à Paris. Une lithographie de 1841 montre un couple qui s'adresse au soldat en faction devant l'obélisque :

« Militaire, ce était le Colonne de la Place Vendôme ?

– Non, Insulaire, c'est l'obélisque.

1. Benoît-Guyot, *Le Voyage de l'obélisque*, p. 110.
2. *L'Illustration*, 23 décembre 1933.

– Oh ! L'obélisque ! Milady voulez-vous monter… Militaire ouvrez le porte !

– Tirez le cordon, le concierge vous répondra… bonjour l'Anglais… »

L'érection du monument n'a pas mis fin aux polémiques. *La Gazette de France* souligne « l'effet fâcheux » que produit cette pierre égyptienne : « En venant du côté des Tuileries, l'obélisque coupe en deux l'Arc de triomphe de l'Étoile ; du côté opposé il coupe en deux le château des Tuileries ; en venant du côté de la Madeleine il coupe en deux le palais de la Chambre des députés ; et du côté opposé il coupe en deux l'église de la Madeleine. C'est un couteau à quatre tranchants que ce monolithe long et mince qui divise aussi désagréablement quatre des plus beaux monuments de Paris sans en être un lui-même [3]. » Le journal croit pouvoir ajouter cette prophétie : « Quand on sera revenu au sens commun… on transportera l'obélisque ailleurs. »

La revue *L'Artiste* confirme son opposition à « cette cheminée d'usine » qui n'a, selon elle, aucune signification [4]. « Encore si l'obélisque ainsi planté dans la plus belle de nos places publiques rappelait quelque chose à l'intelligence des passants ! » s'exclame le chroniqueur. Même la colonne de la place Vendôme aurait mieux fait l'affaire, car au moins « la langue qu'elle parle est française ». Qui va comprendre quoi que ce soit à ces inscriptions hiéroglyphiques ? « Personne au monde ne pourra trouver l'ombre d'un rapport entre le monolithe égyptien et la place de la Révolution […] Sera-t-il fier d'être français, le promeneur, en regardant le monolithe ? […] Il faudra au promeneur, quelque *français* qu'il soit, une

3. *La Gazette de France*, 26 octobre 1836.
4. *L'Artiste*, 1836, t. XII, p. 166-168.

énorme science et une prodigieuse lunette pour essayer de comprendre la *nationalité* du monument assis aujourd'hui au lieu où fut coupée la tête de Louis XVI. »

Dans son numéro du 1er novembre, *Le Siècle* n'est pas plus tendre pour l'obélisque, encore enfermé dans un maillot de bois et que l'ingénieur Lebas va enduire, à titre de protection, d'un concentré de caoutchouc liquide [5]. « Son crédit, affirme le journal, a baissé de toute la hauteur de son élévation. Il est descendu au rang de toutes les folies artistiques de M. Thiers, et l'on en parle à la cour dans les mêmes termes que du palais des singes, de l'hôtel d'Orsay et de toutes les restaurations dont il a dégradé la capitale. »

Le débat va se poursuivre quelque temps encore. Pour Proudhon, l'obélisque présente « une aussi étrange figure que ferait un prie-Dieu dans la salle de la Bourse ». Cela n'empêche pas le pourfendeur du capitalisme de se servir du monument égyptien pour l'une de ses plus célèbres démonstrations dans *Qu'est-ce que la propriété ?* (1840) : « Le capitaliste, dit-on, a payé *les journées* des ouvriers ; pour être exact, il faut dire que le capitaliste a payé autant de fois *une journée* qu'il a employé d'ouvriers chaque jour, ce qui n'est point du tout la même chose. Car, cette force immense qui résulte de l'union et de l'harmonie des travailleurs, de la convergence et de la simultanéité de leurs efforts, il ne l'a point payée. Deux cents grenadiers ont en quelques heures dressé l'obélisque de Louqsor sur sa base ; suppose-t-on qu'un seul homme, en deux cents jours, en serait venu à bout ? Cependant, au compte du capitaliste, la somme des salaires eût été la même. Eh bien, un désert à mettre en culture, une maison à bâtir, une manufacture à exploiter, c'est l'obélisque à soulever… »

5. Archives nationales, F 13 1231, p. 153.

La controverse sur le pyramidion va rebondir. Le 23 avril 1838, il est décidé de retirer le mastic parce que ses plaques se désagrégent et menacent les passants. Hittorff avait donc raison sur ce point. Amer, il écrit à l'un de ses collègues : « Cette aiguille égyptienne, si émoussé que soit son sommet, aurait-elle été de la plus fine trempe d'acier et aussi pointue qu'une véritable aiguille anglaise, les piqûres que j'en ai reçu et qui me sont peut-être réservées encore, n'aurait pas pu être plus douloureusement irritante[6]... »

L'obélisque est donc débarrassé de ses restes de mastic. Pas question pour autant de revenir à l'idée d'une coiffe de bronze : l'Académie des sciences, dans sa séance du 30 avril, juge prudent de s'en abstenir. Son président, le physicien François Arago explique que le métal risque d'attirer la foudre « dans un lieu où, par suite de circonstances inconnues, elle a fréquemment fait explosion ».

L'Académie des beaux-arts se prononce, à son tour, le 23 juin, contre le bronze. Cet obélisque, affirme-t-elle, a eu depuis les origines un pyramidion imparfait. Il faut le laisser tel quel. Toute restauration aurait pour effet de modifier le volume du monument. « Les obélisques n'étant, pour les modernes, que des objets de luxe et de curiosité, remarquables par leurs dimensions comme monolithes bien plus que pour leur mérite comme œuvre d'art, la moindre altération des dimensions serait une faute que l'on doit éviter de commettre[7]. » Le président du Conseil des Bâtiments civils va encore plus loin : « les mutilations même qu'il a dû subir » donnent encore plus d'intérêt à

6. Lettre du 16 avril 1838 à Rohault.

7. Albert Mousset, *Petite Histoire des grands monuments, rues et statues de Paris*, Paris, 1949, p. 162.

l'obélisque ; « on devrait le conserver religieusement dans l'état où il se trouve »[8].

Hittorff n'a pas plus de succès avec la couche de caoutchouc liquide dont on avait revêtu l'obélisque, contre son avis. « Le seul résultat obtenu jusqu'à présent, écrit-il en 1838, a été de substituer à la transparence et au brillant du poli du granit une couleur terne de rouille ou de brique et de contribuer à la fortune de l'épigramme qui a comparé ce précieux monument à une cheminée d'usine[9]. » Autre inconvénient : l'obélisque se distingue davantage de son socle, laissé, lui, à l'état naturel. Répondant par avance à ceux qui proposeraient de recouvrir aussi le piédestal de caoutchouc, Hittorff ajoute, de manière ironique : « Un pareil procédé rappellerait trop celui que l'on attribue à Frédéric Guillaume Ier. Ce roi-peintre, lorsqu'il ne pouvait parvenir à donner la ressemblance aux portraits qu'il s'amusait à faire des grenadiers de sa garde, finissait par peindre les figures de ses modèles pour les faire ressembler à leurs portraits. »

Mais l'administration se montre sourde à son appel. Elle refuse de retirer l'enduit, qui finira par disparaître de lui-même.

8. Archives nationales, F^{21}2534.
9. Albert Mousset, p. 163.

30

Le déchiffreur oublié

Le piédestal, lui, n'est pas terminé. Il y aura encore de laborieuses négociations, de nombreuses lettres échangées entre l'entrepreneur breton et l'administration, avant de mettre un point final à ce deuxième monument. Dans l'intervalle, un certain Chabrelie, qui a écrit au ministre de l'Intérieur pour proposer, à titre de décoration, des statues en granit noir « trouvées dans les ruines du palais de Karnac[1] », sera aimablement éconduit…

Ce n'est qu'en 1839, trois ans après l'érection de l'obélisque et après moult tergiversations, que le piédestal recevra des textes et des dessins gravés, rehaussés d'or. L'Académie des inscriptions et belles-lettres a été invitée par le ministre des Travaux publics à rédiger la pensée suivante : « Cet obélisque, amené de Louqsor en France, a été dressé sur ce piédestal par M. Lebas, ingénieur, le 25 octobre 1836 en présence du roi Louis-Philippe et d'une foule innombrable. »

Les illustres académiciens vont enluminer la pensée administrative. Sur la face ouest, qui regarde les Champs-Élysées, on lira ceci :

1. Archives nationales, F 13 1231, 9 et 23 avril 1838.

EN PRÉSENCE DU ROI
LOUIS-PHILIPPE Ier
CET OBÉLISQUE
TRANSPORTÉ DE LOUQSOR EN FRANCE
A ÉTÉ DRESSÉ SUR CE PIÉDESTAL
PAR M. LEBAS, INGÉNIEUR,
AUX APPLAUDISSEMENTS
D'UN PEUPLE IMMENSE
LE XXV OCTOBRE MDCCCXXXVI

Le cadeau de l'Égypte est rappelé sur la face est, qui regarde les Tuileries. Ce texte a été curieusement rédigé en latin, toujours avec le concours de l'Académie :

LUDOVICUS PHILIPPUS I
FRANCORUM REX
UT ANTIQUISSIMUM ARTIS AEGYPTACIAE OPUS
IDEMQUE
RECENTIS GLORIAE AD NILUM ARMIS PARTAE
INSIGNE MONUMENTUM
FRANCIAE AB IPSA AEGYPTO DONATUM
POSTERITATI PROROGARET
OBELISCUM
DIE XXV AUG A MDCCCXXXII THEBIS HECATOMPYLIS AVECTUM
NAVIG AD ID CONSTRUCTA INTRA MENSES XIII IN GALLIAM
PERDUCTUM
ERIGENDUM CURAVIT
D. XXV OCT A MDCCCXXXVI ANNO REGNI SEPTIMO

Traduction : « Louis-Philippe Ier, roi des Français, désireux de transmettre à la postérité un très ancien chef-d'œuvre de l'art égyptien ainsi que le souvenir insigne d'une gloire acquise récemment par les armes sur les bords du Nil, a fait élever cet obélisque donné à la France par l'Égypte elle-même. Il fut enlevé de la nécropole de Thèbes le 25 août 1832, transporté en France sur un navire construit pour la circonstance au cours d'un voyage de treize mois et érigé le 25 octobre 1836, septième année de son règne. »

Sur la face sud, tournée vers la Seine, des dessins de Lebas ont été reproduits, avec cette brève inscription :

HALAGE, VIREMENT ET ÉRECTION DE L'OBÉLISQUE
À PARIS

Sur la face nord, qui regarde la Madeleine, l'appareil d'abattage du monolithe, dessiné par Lebas, est également accompagné de quelques mots :

L'OBÉLISQUE DESCENDU DE SA BASE EN ÉGYPTE
ET EMBARQUÉ POUR LA FRANCE SUR LE NAVIRE LE LOUQSOR.
CAPITAINE VERNINAC

Le commandant de l'expédition, qui réclamait une mention, a donc obtenu satisfaction. Mais il aurait sans doute aimé retrouver le nom exact de son navire, qui s'appelait le *Luxor*... La marine est glorifiée, après la mécanique, mais au détriment de l'égyptologie : aucune mention n'est faite de Champollion. Le déchiffreur des hiéroglyphes est le grand oublié de cette aventure.

Ayant parfaitement rempli son contrat, l'ingénieur Apollinaire Lebas se voit remettre la médaille d'or par Louis-Philippe avant d'être nommé conservateur du Musée de la marine en décembre 1836. Il entrera au Conseil d'amirauté douze ans plus tard puis prendra une retraite anticipée, partageant son temps entre les mathématiques et la littérature. Habitant près de la place de la Concorde, il y effectuera une promenade quotidienne jusqu'à sa mort, en 1873, à 76 ans. Sa tombe, au cimetière du Père-Lachaise, sera, comme celle de Champollion, décorée d'un obélisque.

Raymond Verninac de Saint-Maur, lui, obtient en 1836 le commandement de la station de Livourne. Il est nommé deux ans plus tard membre de la Commission de santé, puis entre à la direction des Paquebots-poste du Levant, pour en devenir le président. En 1843, il est chargé d'organiser la construction et l'armement des bâtiments à vapeur. L'année suivante, il commande la frégate le *Descartes*, l'un des plus beaux navires de l'époque. Lors de la révolution de 1848, il se retire dans son pays natal, à Souillac, mais est rappelé à Paris pour être nommé sous-secrétaire d'État au département de la Marine et des Colonies, bien que simple capitaine de vaisseau. Il devient ensuite ministre en titre et contre-amiral. Son chef de cabinet n'est autre que Félix Sylvestre, qui remplissait le rôle de commis d'administration lors de l'expédition du *Luxor* et a passé ensuite onze années en Afrique… En 1852, Verninac est élevé au grade de commandeur de la Légion d'honneur et nommé gouverneur des établissements français de l'Inde, poste qu'il occupera quasiment jusqu'à sa mort, en 1856, à l'âge de 79 ans.

Spécialement construit pour le transport de l'obélisque, le *Luxor* a été restitué au ministère de la Marine. Divers objets qui s'y trouvaient ont été mis aux enchères, et le navire a disparu du paysage. Le *Sphinx*, lui, a continué sa carrière, qui s'est terminée tragiquement : le doyen des navires à vapeur français devait se briser contre des rochers, non loin d'Alger, le 6 juillet 1845.

31

Une vie en exil

En avril 1846, Ibrahim pacha, le fils de Mohammed Ali, vient se faire soigner en Europe. Il est reçu en grande pompe à Paris, où il peut admirer l'obélisque de Louqsor dans son nouvel environnement. Cinq mois plus tard, la France offre au vice-roi d'Égypte une horloge de style arabe, d'une valeur de 100 000 francs, qui ira garnir la cour centrale de la citadelle du Caire. Présenté comme un remerciement pour le don de l'obélisque, le cadeau de Louis-Philippe apparaîtra d'autant plus dérisoire que le mécanisme d'horlogerie tombera vite en panne…

Par son étendue et sa situation, à proximité de la Chambre des députés, la place de la Concorde se prête aux rassemblements. On y organise aussi bien des fêtes officielles que des manifestations, parfois violentes. L'obélisque égyptien va se trouver ainsi associé à tous les grands événements nationaux [1].

Le 15 décembre 1840, à la Concorde, une foule imposante attend les cendres de Napoléon. Le char funèbre, tiré par seize

1. *De la place Louis XV à la place de la Concorde*, Catalogue de l'exposition du musée Carnavalet, Paris, 1982.

Décoration exécutée sur la place de la Concorde pour la fête du 4 mai par M. Charpentier, architecte. — Aspect général pendant le jour.

*Le 4 mai 1850, deuxième anniversaire de la République (*L'Illustration*).*

chevaux, s'arrête sous l'Arc de triomphe, avant de descendre les Champs-Élysées et de traverser la place pour se rendre aux Invalides.

Le 22 février 1848, des manifestants se heurtent à la cavalerie royale autour de l'obélisque. Louis-Philippe, qui abdique le surlendemain, quitte les Tuileries par un souterrain débouchant sur la place, où une voiture l'attend pour l'emmener en exil. Son nom, sur le piédestal, sera provisoirement mastiqué.

La Constitution, votée par l'Assemblée nationale, est célébrée par une grande fête politico-religieuse, le 12 novembre suivant. Le pont de la Concorde a été flanqué pour la circonstance de quatre colonnes de style « égyptien », censées rappeler l'obélisque [2]. Celui-ci est enveloppé de panneaux peints, seul son sommet restant visible. Sur un autel tendu de drap d'or qui lui a été accolé, l'archevêque de Paris célèbre une messe solennelle et chante le *Domine salvam fac Republicam*. Après lecture de la Constitution par le président de l'Assemblée nationale, deux cents choristes entonnent un *Te Deum*, suivi d'un défilé militaire.

Pour le deuxième anniversaire de la proclamation de la République, le 4 mai 1850, les décorateurs officiels font encore plus fort, et encore plus « égyptien ». Autour de l'obélisque est disposé « un stylobate octogone à deux étages ». Quatre colosses de plâtre peint, voulant figurer « les Pharaons de granit noir qui ornent les palais égyptiens », sont assis sur la partie supérieure, tandis que quatre sphinx montent la garde au pied du monolithe [3].

Celui-ci sera orné de l'aigle impériale, en 1852, lors du retour à Paris de Louis Napoléon. Chaque 15 août désormais, la fête de l'Empereur sera célébrée sur la place de la Concorde avec une fantaisie particulière. Décor chinois autour de l'obélisque en 1858, décor mexicain en 1864, mais décor égyptien en 1868, avec un temple de seize colonnes à chapiteaux hathoriques, inspirées de Dendera [4].

L'obélisque va trouver un adversaire redoutable en la personne du baron Haussmann, devenu préfet de la Seine en 1853. Napoléon III souhaite réaménager la place de la Concorde pour faciliter les défilés et les grands rassemblements : les soirs de fêtes publiques, les foules qui rentrent des Champs-Élysées

2. *L'Illustration*, n° 299, 18 novembre 1848.
3. *Le Moniteur universel*, 5-6 mai 1850.
4. Jean-Marcel Humbert, *L'Égypte à Paris*, p. 116-132.

après le feu d'artifice ont du mal à s'écouler entre les parterres latéraux et la partie centrale, occupée par l'obélisque et les fontaines. Le mariage du duc d'Orléans a même donné lieu à de graves bousculades.

Haussmann est partisan de « transporter l'obélisque sur un autre emplacement, facile à trouver ». Le grand maréchal du Palais, Vaillant, le soutient avec humour, en disant du monolithe : « J'y tiens comme ingénieur. Il me sert de mire quand je veux m'assurer que l'Arc de triomphe est bien dans l'axe des Tuileries. » Mais Napoléon III en décide autrement. Plutôt que de supprimer l'obélisque et les fontaines, il ordonne de combler les petits jardins dits de Gabriel. Le préfet s'incline à contrecœur et le « regrettera toujours » [5].

Les chaussées sont donc élargies et deux passages créés entre les fontaines et l'obélisque. Celui-ci restera sur son piédestal, et plus rien ni personne ne le menacera désormais, hormis un bombardement... Lors d'une offensive des troupes versaillaises contre les Communards en mai 1871, un obus emportera la tête de la statue de Lille. Les façades de la place subiront quelques dégâts, mais le monument de Ramsès II sera heureusement indemne.

Il reste au temple de Louqsor un autre obélisque, offert à la France, que plus personne ne parle d'aller chercher. S'étant rendu sur place en 1849, accompagné de Flaubert, Maxime Du Camp en fait une description saisissante : « Devant deux pylônes éventrés, couverts de sculptures encore visibles, représentant les combats et les victoires du pharaon Ramsès le Grand, s'élance un obélisque en granit rose qui semble, seul et désolé sous l'implacable soleil, regretter son frère absent.

5. Georges-Eugène Haussmann, *Mémoires*, Paris, 1893, t. III, p. 227-228.

L'entrée du temple de Louqsor, avec l'obélisque restant, vers 1840.

La finesse et la beauté de ces hiéroglyphes sont extrêmes, et ils sont assez profondément creusés dans la pierre polie et poncée pour que des enfants puissent grimper jusqu'au pyramidion, en entrant leurs pieds nus dans les entailles. Le sable amoncelé en a englouti la base ; souvent j'ai vu un vautour fatigué dormir sur le faîte, qui paraissait alors le piédestal immense d'une statue d'oiseau [6]. »

Les récits de Du Camp et de Flaubert vont inspirer un poème à Théophile Gautier, passionné d'Égypte sans y être encore allé. Cette œuvre en deux parties, publiée en 1851, est intitulée *Nostalgies d'obélisques* :

I
L'OBÉLISQUE DE PARIS

Sur cette place je m'ennuie,
Obélisque dépareillé ;
Neige, givre, bruine et pluie
Glacent mon flanc déjà rouillé

6. Maxime Du Camp, *Le Nil : Égypte et Nubie*.

Et ma vieille aiguille, rougie
Aux fournaises d'un ciel de feu,
Prend des pâleurs de nostalgie
Dans cet air qui n'est jamais bleu.

Devant les colosses moroses
Et les pylônes de Luxor,
Près de mon frère aux teintes roses
Que ne suis-je debout encor,

Plongeant dans l'azur immuable
Mon pyramidion vermeil
Et de mon ombre, sur le sable,
Écrivant les pas du soleil !

Rhamsès, un jour mon bloc superbe,
Où l'éternité s'ébréchait,
Roula fauché comme un brin d'herbe,
Et Paris s'en fit un hochet.

La sentinelle granitique,
Gardienne des énormités,
Se dresse entre un faux temple antique
Et la chambre des députés.

Sur l'échafaud de Louis seize,
Monolithe au sens aboli,
On a mis mon secret, qui pèse
Le poids de cinq mille ans d'oubli.

Les moineaux francs souillent ma tête,
Où s'abattaient dans leur essor
L'ibis rose et le gypaëte
Au blanc plumage, aux serres d'or.

La Seine, noir égout des rues,
Fleuve immonde fait de ruisseaux,
Salit mon pied, que dans ses crues
Baisait le Nil, père des eaux,

Le Nil, géant à barbe blanche,
Coiffé de lotus et de joncs,
Versant de son urne qui penche
Des crocodiles pour goujons !

Les chars d'or étoilés de nacre
Des grands pharaons d'autrefois
Rasaient mon bloc heurté du fiacre
Emportant le dernier des rois.

Jadis, devant ma pierre antique,
Le pschent au tronc, les prêtres saints
Promenaient la bari mystique
Aux emblèmes dorés et peints ;

Mais aujourd'hui, pilier profane
Entre deux fontaines campé,
Je vois passer la courtisane
Se renversant dans son coupé.
Je vois, de janvier à décembre,
La procession des bourgeois,
Les Solons qui vont à la Chambre,
Et les Arthurs qui vont au bois.

Oh ! dans cent ans quels laids squelettes
Fera ce peuple impie et fou,
Qui se couche sans bandelettes
Dans des cercueils que ferme un clou,

Et n'a pas même d'hypogées
À l'abri des corruptions,
Dortoirs où, par siècles rangées,
Plongent les générations !

Sol sacré des hiéroglyphes
Et des secrets sacerdotaux,
Où les sphinx s'aiguisent les griffes
Sur les angles des piédestaux ;

Où sous le pied sonne la crypte,
Où l'épervier couve son nid,
Je te pleure, ô ma vieille Égypte,
Avec des larmes de granit.

II
L'Obélisque de Luxor

Je veille, unique sentinelle
De ce grand palais dévasté,
Dans la solitude éternelle,
En face de l'immensité.

À l'horizon que rien ne borne,
Stérile, muet, infini,
Le désert sous le soleil morne
Déroule son linceul jauni.

Au-dessus de la terre nue,
Le ciel, autre désert d'azur,
Où jamais ne flotte une nue,
S'étale implacablement pur.
Le Nil, dont l'eau morte s'étame
D'une pellicule de plomb,
Luit, ridé par l'hippopotame,
Sous un jour mat tombant d'aplomb ;

Et les crocodiles rapaces,
Sur le sable en feu des îlots,
Demi-cuits dans leurs carapaces,
Se pâment avec des sanglots.

Immobile sur son pied grêle,
L'ibis, le bec dans son jabot,
Déchiffre au bout de quelque stèle
Le cartouche sacré de Thot.

L'hyène rit, le chacal miaule,
Et, traçant des cercles dans l'air,
L'épervier affamé piaule,
Noire virgule du ciel clair.

Mais ces bruits de la solitude
Sont couverts par le bâillement
Des sphinx, lassés de l'attitude
Qu'ils gardent immuablement.

Produit des blancs reflets du sable
Et du soleil toujours brillant,
Nul ennui ne t'est comparable,
Spleen lumineux de l'Orient !

C'est toi qui faisais crier : Grâce !
À la satiété des rois
Tombant vaincus sur leur terrasse,
Et tu m'écrases de ton poids.

Ici jamais le vent n'essuie
Une larme à l'œil sec des cieux.
Et le temps fatigué s'appuie
Sur les palais silencieux.

Pas un accident ne dérange
La face de l'éternité ;
L'Égypte, en ce monde où tout change,
Trône sur l'immobilité.
Pour compagnons et pour amies,
Quand l'ennui me prend par accès,
J'ai les fellahs et les momies
Contemporaines de Rhamsès ;

Je regarde un pilier qui penche,
Un vieux colosse sans profil
Et les canges à voile blanche
Montant ou descendant le Nil.

Que je voudrais comme mon frère,
Dans ce grand Paris transporté,
Auprès de lui, pour me distraire,
Sur une place être planté !

Là-bas, il voit à ses sculptures
S'arrêter un peuple vivant,
Hiératiques écritures,
Que l'idée épelle en rêvant.

Les fontaines juxtaposées
Sur la poudre de son granit
Jettent leurs brumes irisées ;
Il est vermeil, il rajeunit !

Des veines roses de Syène
Comme moi cependant il sort,
Mais je reste à ma place ancienne,
Il est vivant et je suis mort !

32

Les aiguilles de Cléopâtre

Le nouveau décor de la place de la Concorde aurait pu inciter les Anglais, éternels rivaux des Français, à se précipiter en Égypte pour emporter l'un de « leurs » obélisques. Mais ils vont y mettre le temps : plus de quarante ans…

Ce n'est pas faute d'en débattre. Régulièrement, la question revient sur le tapis, suscitant des controverses. En 1849, seize officiers généraux, amiraux et capitaines qui avaient servi en Égypte du temps de Bonaparte présentent au prince Albert une demande officielle pour qu'on aille chercher à Alexandrie l'aiguille de Cléopâtre, offerte par Mohammed Ali à la Grande-Bretagne. L'égyptologue John Gardner Wilkinson s'y oppose, faisant valoir que le monument est en triste état et ne mérite pas la dépense.

Deux ans plus tard, une entreprise privée, The Crystal Palace Company, propose de s'en occuper, à ses frais, à condition d'en devenir propriétaire. Refus des autorités : un tel monument ne peut être que « national »[1].

C'est après avoir admiré l'obélisque de la Concorde en

1. E. A. Wallis Budge, *Cleopatra's needles*, Londres, 1926, p. 63-64.

1867 qu'un militaire britannique, le général James Edward Alexander, décide de prendre les choses en main. Il se rend au Caire, où il est bien reçu par le khédive Ismaïl, petit-fils de Mohammed Ali. L'Égypte traverse alors de graves difficultés financières et a toutes les raisons de vouloir satisfaire l'Angleterre qui est, avec la France, son principal créancier. Ismaïl ne s'opposera en aucune façon au transfert à Londres de l'aiguille « anglaise ».

Le général Alexander trouve un mécène en la personne du docteur Erasmus Wilson, l'un des plus célèbres dermatologues de Londres. Puis il s'adresse à un ingénieur des travaux publics, John Dixon, ayant à son actif plusieurs réalisations importantes, dont la première voie ferrée chinoise. Le promoteur, le mécène et l'ingénieur – francs-maçons tous les trois – ne tardent pas à s'entendre sur les modalités de l'opération. Un contrat est signé à la fin de 1876 et les travaux commencent l'année suivante [2]. Pour la première fois, c'est une entreprise privée qui va se charger de transporter un obélisque hors d'Égypte.

Cléopâtre n'a sans doute jamais vu les deux aiguilles qui portent son nom. C'est après sa mort, semble-t-il, en 13 avant Jésus-Christ, qu'elles ont été transportées à Alexandrie par Octave pour être mises à l'entrée du Césaréum. Ce temple, dédié au culte impérial, se trouvait à une centaine de mètres du rivage, mais au dix-neuvième siècle ses ruines sont presque au bord de l'eau à cause de l'érosion.

L'obélisque offert à l'Angleterre, probablement victime du séisme de 1303, a l'avantage d'être à terre : l'ingénieur Dixon n'aura pas à l'abattre, mais simplement à le transporter. Le procédé qu'il va adopter n'a rien à voir avec celui des

2. Erik Iversen, *Obelisks in exile*, vol. II, Copenhague, 1972.

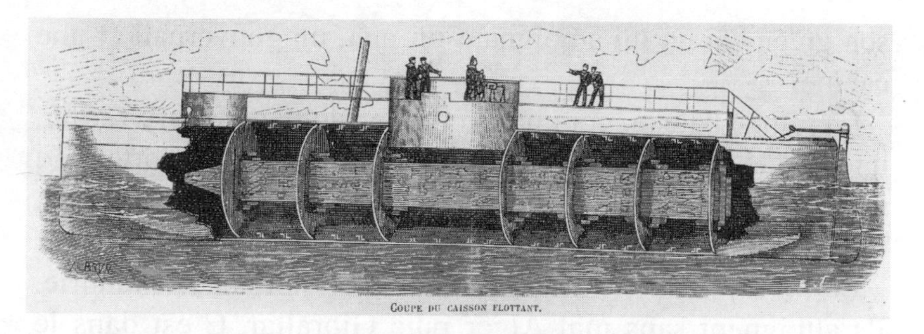

Une coupe du Cleopatra *transportant l'obélisque.*

Français : il a prévu d'enfermer l'obélisque dans un cylindre, de 28,3 mètres de long et 4,5 mètres de diamètre, divisé en dix compartiments imperméables, qui pourrait rouler jusqu'au rivage, puis se transformer en bateau. Il ne restera plus qu'à trouver un navire à vapeur pour remorquer jusqu'en Angleterre cet engin inédit, baptisé *Cleopatra.*

Petite difficulté : le terrain sur lequel gît l'obélisque appartient à un Grec d'Alexandrie, un certain Demetrios, qui fait de la résistance. Jusqu'ici, il réclamait qu'on le débarrasse de ce bloc de granit encombrant, mais depuis que les Anglais envisagent de l'emporter, il semble y tenir comme à la prunelle de ses yeux. L'argent qu'on lui propose en dédommagement ne suffit pas à le faire fléchir. Il obtiendra finalement de figurer en tant que « donateur » dans les papiers officiels… Les travaux peuvent commencer.

Pour permettre au cylindre de rouler, il faut débarrasser le chemin de toutes les pierres qui s'y trouvent. Certaines, trop lourdes, doivent être dynamitées. Le 28 août 1877, l'engin avance en direction de l'endroit où il pourrait flotter, mais à une vingtaine de mètres du but, on s'aperçoit que de l'eau s'y est introduite. Des réparations sont aussitôt entreprises. Le *Cleopatra* finit par parvenir jusqu'aux docks, où on procède à son gréement en lui adjoignant un mât, un gouvernail et une cabine.

L'étrange bateau, commandé par le capitaine Henry Carter, un vétéran de la Peninsular and Orient Line, transporte cinq marins et un charpentier. L'ingénieur Dixon, pour sa part, voyagera à bord du navire remorqueur, l'*Olga*.

Le 27 septembre, les deux bâtiments quittent Alexandrie. Ils atteignent sans mal Alger puis Gibraltar. C'est dans le golfe de Gascogne que les choses se gâtent. Dans la tempête, le *Cleopatra* menace de sombrer. Six marins de l'*Olga* se portent volontaires pour lui porter assistance. Leur embarcation se lance dans les vagues. On ne les reverra plus… Le capitaine Carter et son équipage réussissent, eux, à rejoindre le remorqueur après avoir abandonné leur navire, qui disparaît à son tour dans la tempête.

À Londres, on apprend avec consternation la double catastrophe : six hommes sont morts et l'obélisque est perdu. Un débat s'engage sur les responsabilités, mais l'ingénieur Dixon ne veut pas croire que son bateau a pu couler. C'est techniquement impossible, selon lui. Il demande qu'un navire à vapeur soit envoyé dans la zone du naufrage pour le rechercher.

Le 16 octobre, une dépêche fait sensation : le *Cleopatra* a été trouvé en mer et remorqué par un autre navire jusqu'au port d'El Ferrol, au nord-ouest de l'Espagne. Revoilà l'obélisque, sain et sauf ! Encore faut-il convaincre le capitaine écossais qui a procédé au sauvetage de le rendre. Il réclame 5 000 livres, qu'il finira par obtenir, après un marchandage et un recours en justice…

Doté d'une nouvelle mâture, remorqué par un troisième bateau à vapeur, le *Cleopatra* arrive enfin à Londres, où l'on débat – comme à Paris, quatre décennies plus tôt – du meilleur endroit pour ériger le monument égyptien. Il est question de Parliament Square, de Kensington Gardens, du British Museum, des environs de l'abbaye de Westminster… Finalement, c'est au bord de la Tamise, entre les ponts de Waterloo et de Charing Cross, qu'il prendra place. Là, au moins, il ne gênera personne, et on pourra le voir de loin.

Débarrassé de son gréement, de nouveau réduit à un simple cylindre, le *Cleopatra* est roulé jusqu'à l'emplacement choisi. L'obélisque est érigé le 13 septembre 1880, selon un procédé bien plus moderne que celui de Paris, employant beaucoup moins de monde. Il a été revêtu d'une chemise de fer munie de deux pivots et fixée à l'aide de crics hydrauliques. Une extrémité de l'aiguille est soulevée, puis l'autre, remettant chaque fois le monument à l'horizontale, et l'opération est répétée jusqu'à atteindre la hauteur nécessaire. L'obélisque ressemble alors à un canon reposant sur son affût. Il va pivoter sur lui-même pour arriver à la position verticale, tandis que l'eau qui s'échappe des crics le fera descendre doucement sur son socle. L'opération se termine au moment même où Big Ben sonne 15 h 30 [3].

Un nouveau piédestal a été construit, flanqué de quatre sphinx en bronze. On y a déposé les monnaies traditionnelles, mais aussi un incroyable bric à brac : des exemplaires de la Bible en plusieurs langues, un portrait de la reine Victoria, une carte de Londres, un guide des chemins de fer britanniques, une boîte de cigares, des jouets pour enfants… et même les photos de douze jeunes beautés anglaises. Ramsès II doit se retourner dans son sarcophage. Les noms des principaux acteurs de l'entreprise sont gravés sur ce socle, sans omettre

3. Peter Tompkins, *The Magic of Obelisks*, New York, Harper and Row, 1981, p. 273.

les six marins disparus dans le golfe de Gascogne. Mais, comme à Paris, il y a un oublié : le général Alexander, qui a été à l'origine du transport de l'obélisque à Londres.

La France ayant renoncé à emporter l'autre aiguille de Cléopâtre, celle-ci est offerte aux États-Unis par le khédive Ismaïl lors de l'inauguration du canal de Suez, en novembre 1869. L'affaire traînera quelques années, jusqu'à ce que le magnat américain des chemins de fer, William H. Vanderbilt, l'un des hommes les plus riches du monde, accepte de financer l'opération.

Dans un premier temps, on s'adresse à l'ingénieur Dixon : n'est-il pas le mieux placé pour transporter ce deuxième obélisque ? Mais ses prétentions financières sont jugées excessives et c'est finalement un officier de marine américain de 38 ans, Henry H. Gorringe, qui est choisi. Le contrat stipule qu'il recevra 75 000 dollars s'il réussit à ériger le monolithe à New York, mais rien n'est prévu en cas d'échec. Les banques refusant de lui avancer de l'argent, l'intéressé va devoir contracter un prêt auprès d'un ami.

Pour le transport de l'obélisque, le lieutenant Gorringe ne veut adopter ni le procédé des Français ni celui des Anglais : il envisage de faire appel à un navire ordinaire. L'abattage ne l'inquiète guère : depuis l'expédition du *Luxor*, un demi-siècle plus tôt, la mécanique a fait beaucoup de progrès.

L'opération commence en 1879. L'aiguille est en piètre équilibre. Seuls deux des quatre crabes en bronze que les Romains avaient fixés à sa base la soutiennent encore. Mais ce ne sont pas à des difficultés techniques que va se heurter le lieutenant Gorringe [4].

4. Henry H. Gorringe, *Egyptian Obelisks*, New York, 1882.

Élévation de l'obélisque à Central Park (New York).

À Alexandrie, où habitent de nombreux Européens, on assiste à une levée de boucliers. L'aiguille de Cléopâtre restante est l'un des rares monuments antiques encore debout dans cette ville. N'est-il pas scandaleux de vouloir l'emporter ? Articles, pétitions et recours en justice se succèdent, avec l'appui d'archéologues français ou allemands, pour demander aux autorités égyptiennes de revenir sur la décision du khédive Ismaïl. Ce dernier vient d'être destitué, et son fils Tewfik manque d'autorité.

Gorringe se rend compte que les ordres du pouvoir central sont appliqués avec nonchalance. Il décide de faire front. Des gardiens sont recrutés pour défendre le chantier. Lors de l'abattage de l'obélisque, le 5 décembre 1879, un drapeau américain est fixé au pyramidion pour bien montrer que les États-Unis en sont propriétaires.

Techniquement, la manœuvre se déroule sans problème, grâce à du matériel venu de New York : le monolithe est soulevé verticalement par un système hydraulique, avant d'être pivoté à l'horizontale puis abaissé au niveau du sol. Mais Gorringe avait prévu de le conduire jusqu'au port par voie de terre. Or, il se heurte à l'opposition des notables d'Alexandrie, qui craignent que les canalisations d'égouts de la ville ne soient menacées par un tel poids. Il faudra enfermer l'obélisque dans un caisson et le faire flotter jusqu'au port, ce qui nécessitera quatre autres mois de travaux et pas mal d'argent.

Pour le voyage, Gorringe a acheté un vieux cargo à la Poste égyptienne, qu'il a retapé et baptisé *Dessoug*. L'obélisque et son piédestal voyageront dans la cale. Ce navire ne peut cependant être enregistré aux États-Unis : la loi américaine l'interdit. Le faire naviguer sous les couleurs égyptiennes entraînerait certainement des actions en justice qui l'empêcheraient de partir. Gorringe prend alors le risque de renoncer à la protection d'un drapeau.

Il a eu beaucoup de mal à recruter un équipage, le trouvant finalement à Trieste. Cette équipe lui réserve quelques mauvaises surprises : les deux principaux officiers sont des ivrognes, tandis que le troisième « devra être licencié pour l'empêcher de se suicider[5] »…

Le *Dessoug* part d'Alexandrie le 12 juin 1880, huit mois après l'arrivée de Gorringe dans cette ville. Son voyage, marqué par un ravitaillement en charbon à Gibraltar, ne connaît aucun incident majeur. Il accoste à New York le 20 juillet, après avoir parcouru quelque 8 600 km en mer, ce qui est un record historique pour un obélisque égyptien… Mais une nouvelle difficulté l'attend : les dockers demandent des prix exor-

5. Tompkins, *The Magic of Obelisks*, p. 294.

bitants pour décharger les deux blocs. Le *Dessoug* devra déposer sa précieuse cargaison à Staten Island.

Le site choisi est une colline de Central Park, près du Metropolitan Museum. Le piédestal, pesant 50 tonnes, y sera conduit sur un solide véhicule, tiré par trente-deux chevaux. L'aiguille de Cléopâtre, elle, empruntera une voie ferrée à toute petite vitesse et mettra cent douze jours pour arriver à destination.

La symbolique de l'obélisque intéresse particulièrement les francs-maçons. Quelque neuf mille membres des loges new-yorkaises organisent le 9 octobre 1880 une cérémonie solennelle sur le site[6]. Les spectateurs seront un peu plus nombreux, le 22 janvier suivant, pour assister, sous un vent glacial, à l'installation du « plus vieux monument du Nouveau Monde ».

L'opération a coûté plus de 100 000 dollars, mais Gorringe rentre dans ses frais grâce à la bonne volonté de son mécène qui paie la note sans sourciller. Il réussira à vendre le *Dessoug*, qui a acquis un pavillon américain lors d'un vote spécial du Congrès. L'officier de marine ne bénéficiera pas longtemps de son succès : il meurt accidentellement en 1885. Sa tombe, à Sparkill (État de New York), sera surmontée d'une construction ressemblant à un obélisque[7].

Après New York, Washington… Il était question depuis longtemps d'ériger un monument à la mémoire du premier président des États-Unis, George Washington, décédé en 1799. Les loges franc-maçonnes se montraient particulièrement soucieuses d'honorer cet ancien grand maître, et l'idée

6. *Ibid.*, p. 298.
7. Bern Dibner, *Moving the Obelisks*, Cambridge, MIT Press, 1970, p. 45.

d'un obélisque s'était vite imposée. Le projet initial de l'architecte Robert Mills prévoyait une aiguille géante, entourée d'une sorte de temple grec.

Diverses Églises n'ont pas manqué de s'opposer à ce qui voulait être « le plus grand monument maçonnique du monde ». Finalement, il a été décidé de s'en tenir à un simple obélisque de 169 mètres de hauteur, sur le Mall, face à la Maison-Blanche. La construction, marquée par diverses interruptions, s'est étalée sur quatre décennies. La structure bétonnée, recouverte de marbre blanc, a été équipée intérieurement d'un escalier et d'un ascenseur à vapeur. Rien à voir avec les monolithes égyptiens… À défaut d'un bloc de granit unique, toutes ces pierres assemblées peuvent symboliser l'unité de la nation américaine, remarquera un membre du Congrès, lors du discours inaugural, le 21 février 1885[8].

8. Tompkins, *The Magic of Obelisks*, p. 337.

33

Un cadran solaire

En juillet 1836, un certain Lhuillier, employé au ministère de la Guerre, écrit au ministre de l'Intérieur pour lui faire une suggestion… lumineuse : « Ne serait-il pas possible de placer au sommet du monolithe [...] un fanal éclairé par le gaz hydrogène et dont le foyer serait assez intense pour projeter ses rayons sur toute l'étendue de la place de la Concorde[1] ? » Il n'est pas le seul à vouloir utiliser l'obélisque à des fins pratiques.

Déjà, en janvier 1834, un ingénieur en chef des Mines, Héricart de Thury, membre de l'Académie des sciences, s'était adressé au ministre des Travaux publics dans le but de transformer l'aiguille égyptienne en étalon métrique pour les grandes opérations de géodésie, de géométrie et d'astronomie »[2]. Son raisonnement s'appuyait sur un constat simple : tous les monuments parisiens dont la hauteur au-dessus de la mer a pu être mesurée ne présentent que des nombres à fractions. Le dallage du Panthéon est à 54,20 mètres, le baromètre

1. Archives nationales, $F^{13}1230$.
2. *Ibid*.

de l'Observatoire à 63,20 mètres, la flèche des Invalides à 138,30 mètres… Ces décimales compliquent les calculs et sont source continuelle d'erreurs. Puisqu'il faut donner à l'obélisque un nouveau piédestal, pourquoi ne pas concevoir celui-ci de manière que l'ensemble du monument ait une hauteur métrique exacte ? L'emplacement prévu, au centre de la place de la Concorde, étant à 32,50 mètres au-dessus du niveau de la mer, il suffirait, pour atteindre un chiffre rond, d'ajouter aux 24,65 mètres du monolithe un piédestal de 2,85 mètres, ce qui donnerait un total de 60.

La proposition n'a pas été retenue. De toute façon, on voulait poser l'obélisque sur un piédestal plus haut, sans aller pour autant jusqu'à 12,85 mètres, qui aurait permis d'atteindre un autre chiffre rond… Hittorff, l'architecte de la place de la Concorde, a choisi une construction de granit de 8,89 mètres, en s'en tenant à des considérations esthétiques et pratiques.

Nouvelle proposition, de nature différente, en mai 1913 : Camille Flammarion, fondateur de la Société astronomique de France, suggère au préfet de la Seine et au président du conseil municipal de Paris de « rendre à l'obélisque son rôle astronomique ». Dans l'Égypte ancienne, affirme-t-il, de tels monolithes servaient d'horloges ; c'étaient très probablement des gnomons, dont l'ombre portée donnait la hauteur du Soleil au-dessus de l'horizon et, par la suite, l'heure approximative.

Il s'agit là d'une pure hypothèse. On sait seulement que les Grecs et les Romains avaient utilisé les obélisques égyptiens comme cadrans solaires ou instruments de calcul. Érigé au Champ de Mars, l'un des monolithes transportés à Rome sous le règne d'Auguste constituait ainsi l'aiguille d'un cadran solaire très perfectionné, conçu par le mathématicien Novus.

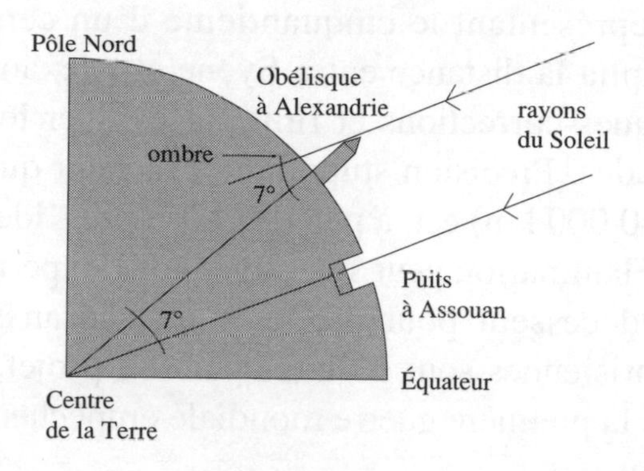

Celui-ci l'avait surmonté d'une boule dorée pour mieux mesurer la longueur de l'ombre, projetée sur un dallage spécial incrusté de règles d'airain.

Deux siècles plus tôt, en 205 avant Jésus-Christ, Eratosthène, directeur de la Bibliothèque d'Alexandrie, s'était servi d'un obélisque pour établir son célèbre calcul de la circonférence de la Terre [3]. Ayant constaté que les ombres ne sont pas identiques selon le lieu où l'on se trouve, il avait choisi deux villes d'Égypte situées à peu près sur le même méridien. À midi, au solstice d'été, le soleil était exactement à la verticale à Syène (Assouan) – ses rayons pénétrant jusqu'au fond d'un puits –, alors que l'ombre d'un obélisque à Alexandrie faisait un angle de 7° 12' avec la verticale. Ce qui confirmait que la Terre n'était pas plate… Il suffisait de connaître la distance entre les deux villes pour obtenir la longueur du méridien, c'est-à-dire la circonférence passant les pôles. Cette distance était évaluée à 5 000 stades, en comptant… le nombre de pas

3. Arkan Simaan, « Sur l'expérience d'Eratosthène », *Bulletin de l'Union des physiciens*, vol. 96, juillet-août-septembre 2002.

ou le temps de voyage d'une caravane de chameaux. L'angle de 7° 12' représentant le cinquantième d'un cercle, Ératosthène multiplia la distance entre Syène et Alexandrie par 50, opéra quelques corrections et finit par évaluer le méridien à 252 000 stades. Précision stupéfiante, sachant que la mesure moderne (40 000 km) est, à peu de chose près, identique !

Camille Flammarion peut s'appuyer sur l'expérience de son illustre prédécesseur pour proposer un cadran solaire. Les autorités parisiennes sont séduites par son projet. Le déclenchement de la première guerre mondiale empêchera cependant de le réaliser.

L'astronome meurt en 1925, mais sa veuve, Gabrielle Flammarion, relance l'idée quelques années plus tard [4]. Pour une dépense minime, souligne-t-elle, Paris pourrait se doter du « plus grand cadran solaire du monde ». Cela ne modifierait en rien l'admirable perspective de la place de la Concorde et n'entraverait en aucune manière la circulation. Gabrielle Flammarion conclut avec lyrisme : « L'Obélisque de Louqsor donnant l'heure aux Parisiens qui passent leur rappellerait mieux encore, avec plus d'expression, que, lorsque nous regardons notre montre, lorsque nous consultons l'heure, nous regardons tourner la Terre qui emporte dans son mouvement toutes choses. »

Un feu vert est donné. L'architecte de l'Observatoire de Juvisy procède alors à des essais de traçage au sol, en collaboration avec les ingénieurs et géomètres de la Ville de Paris et du Service géographique de l'armée. Cinq lignes horaires sont creusées dans la chaussée au sud de l'obélisque pour aboutir à des plots en bronze marquant les heures et les saisons. Mais l'entreprise, commencée au printemps 1939, est arrêtée par… la seconde guerre mondiale.

4. « Un "centenaire" millénaire », *L'Illustration*, 24 octobre 1936.

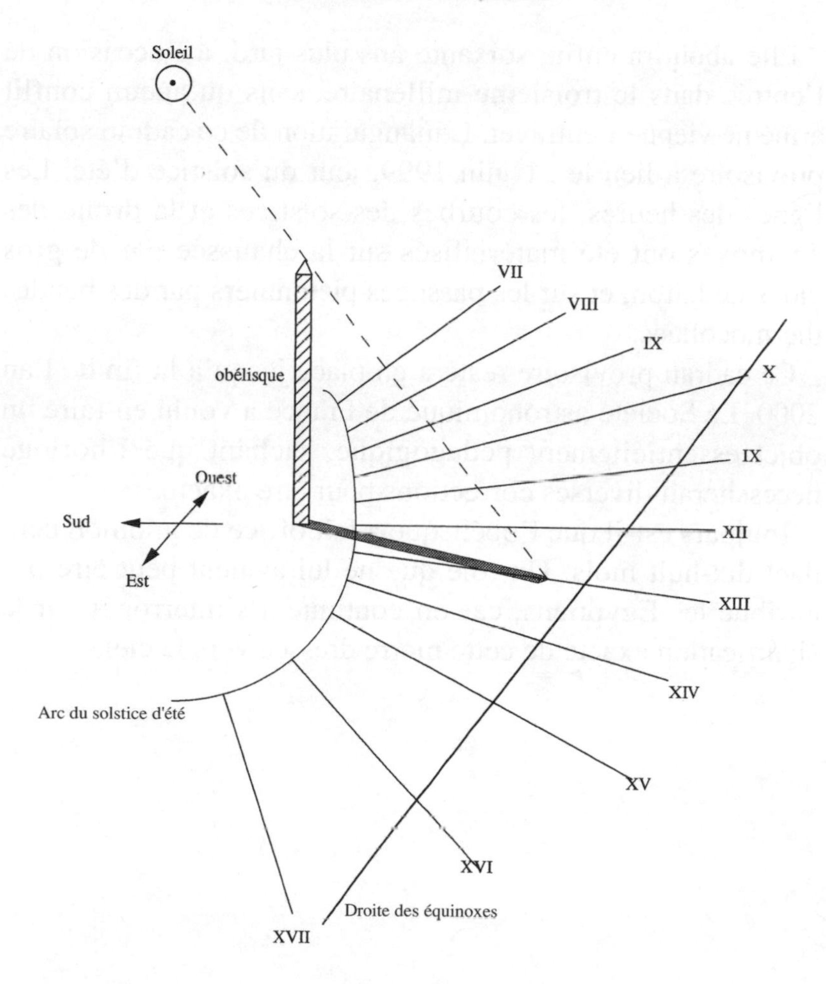

Voici le cadran solaire installé en 1999. Du lever au coucher du soleil, l'extrémité de l'ombre de l'obélisque parcourt la place de la Concorde d'est en ouest. Très longue le matin, elle devient la plus courte à midi puis s'allonge progressivement jusqu'au crépuscule. L'heure se lit sur le sol. Une courbe indique la trajectoire de l'ombre le jour du solstice d'été (21 juin), tandis que la droite des équinoxes montre la trajectoire de l'ombre le 20 mars et le 23 septembre. Compte tenu de la hauteur de l'obélisque, l'ombre est extrêmement longue à certains moments ; pour des raisons de commodité, le tracé a donc été limité de 7 heures à 17 heures.

Elle aboutira enfin, soixante ans plus tard, à l'occasion de l'entrée dans le troisième millénaire, sans qu'aucun conflit armé ne vienne l'entraver. L'inauguration de ce cadran solaire provisoire a lieu le 21 juin 1999, jour du solstice d'été. Les lignes des heures, les courbes des solstices et la droite des équinoxes ont été matérialisés sur la chaussée par de gros clous de laiton, et sur les passages piétonniers par des bandes thermocollées.

Ce cadran provisoire restera en place jusqu'à la fin de l'an 2000. La Société astronomique de France a voulu en faire un objet essentiellement pédagogique, sachant que l'horloge nécessiterait diverses corrections pour être exacte.

Toujours est-il que l'obélisque a fait office de gnomon pendant dix-huit mois. Un rôle que ne lui avaient peut-être pas attribué les Égyptiens, car on continue à s'interroger sur la signification exacte de cette pierre dressée vers le ciel.

34

Qu'est-ce qu'un obélisque ?

En 1893, dans une étude détaillée du temple de Louqsor, l'égyptologue Georges Daressy se demandait si la fonction des obélisques n'était pas, tout simplement, de signaler de loin les sanctuaires : « Ils jouaient en cela le même rôle que les minarets des mosquées et les clochers des églises, et s'apercevaient d'autant mieux que leur pointe (ou pyramidion) était fréquemment recouverte de métal brillant, or ou argent[1]. »

Un demi-siècle plus tard, Pierre Lacau, ancien directeur du Service des antiquités égyptiennes et de l'Institut français d'archéologie orientale, avouait son ignorance. Les Égyptiens, disait-il, ne nous ont laissé aucune théorie de l'obélisque. « De l'origine, de la signification, de la légende de cette pierre sacrée, nous ne savons rien[2]. »

Une telle affirmation apparaît aujourd'hui excessive. Nombre d'égyptologues n'hésitent pas à avancer des définitions et des explications assez précises, même si elles restent souvent à

1. Georges Daressy, *Notice explicative des ruines du temple de Louxor*, Le Caire, 1893.

2. Discours à l'Institut, 26 octobre 1942.

démontrer. Après tout, le sens donné à ces monolithes par les Égyptiens eux-mêmes a pu évoluer au cours des siècles…

L'obélisque est une survivance du culte préhistorique des pierres dressées (bétyles), pratiqué dans diverses régions du monde. La France, pour ne citer qu'elle, a connu les menhirs et les dolmens. En Égypte, l'usage architectural de cette pierre a commencé à Héliopolis, la Cité du Soleil, avant de s'étendre au reste du pays. On a fini par lui donner une forme rigoureusement géométrique. C'est sur sa pointe, appelée *benben*, que le soleil s'était levé initialement, selon les croyances d'alors. Et c'est sur elle, chaque jour à l'aube, qu'il venait se poser pour éclairer le monde. L'obélisque captait donc l'énergie créatrice de l'astre, tout en figurant peut-être lui-même un rayon de soleil pétrifié.

Les Égyptiens y voyaient, semble-t-il, un modèle du tertre originel, « la première terre sur laquelle le Créateur se manifesta en lumière pour achever la création[3] » : lié au sol par son fût, présent dans le ciel par son pyramidion étincelant, l'obélisque faisait le lien entre l'univers terrestre et le divin. Peut-être était-il aussi, à l'origine, « un phallus transformé en jaillissement solaire », en rapport avec la crue annuelle. Il représentait ainsi « le jet fécondateur du Nil », son *benben* étant « la pointe du membre créateur »[4].

De petits obélisques existaient déjà dans l'Ancien Empire, comme monuments funéraires. On en a retrouvé des traces à l'entrée de tombes des Ve et VIe dynasties. Mais c'est au cours du Nouvel Empire que ces monuments ont grandi en taille, se sont affinés et multipliés. Ils étaient souvent placés

3. Jean-Claude Golvin et Jean-Claude Goyon, *Les Bâtisseurs de Karnak*, Paris, Presses du CNRS, 1987, p. 62-63.

4. Christiane Desroches-Noblecourt, *Sous le regard des dieux*, Paris, Albin Michel, 2003, p. 342-343.

par paires dans les temples, de part et d'autre de l'entrée des pylônes. Quelques-uns se trouvaient groupés par quatre, symbolisant les points cardinaux ou le carré sacré d'Héliopolis. D'autres étaient uniques, comme celui qui se dressait au fond du temple dit de Ramsès II à Karnak, avant d'être transporté à Rome et réédifié finalement sur la place Saint-Jean-de-Latran : objets de culte, ils occupaient l'endroit même du sanctuaire [5].

Aucun texte de l'époque pharaonique ne précise directement comment les obélisques étaient extraits, transportés et érigés. Cette prouesse technique est cependant évoquée dans un document qui se trouve au British Museum, le papyrus *Anastasi I*, ainsi que sur divers bas-reliefs.

On devine aisément pourquoi les anciens Égyptiens taillaient leurs grands obélisques dans du granit : c'était le seul matériau leur permettant de réaliser un monument d'une seule pièce. Les autres pierres dont ils disposaient – calcaires ou grès d'origine sédimentaire – étaient constituées de lits horizontaux : y prendre un aussi long bloc aurait conduit à traverser des couches disparates, d'inégale dureté.

Mais pourquoi tenaient-ils à fabriquer des obélisques d'une seule pièce ? Pour trois raisons, selon Pierre Lacau [6]. Une raison technique d'abord : il était encore plus simple d'ériger un monolithe de grande taille que d'assembler en hauteur, de manière parfaite, plusieurs blocs effilés. Une raison esthétique ensuite : l'empilement de pièces assez minces, montant très haut et ne portant rien, aurait donné une impression d'instabilité. Une raison « morale » enfin : les Égyptiens aimaient

5. Jean Yoyotte, « À propos de l'obélisque unique », *Kemi*, XIV, 1957, p. 81-89.

6. Discours à l'Institut, 26 octobre 1942.

utiliser des matériaux massifs même quand cela était inutile. « Cet effort superflu leur semblait désirable parce qu'il honorait mieux la divinité ou pour quelque raison du même ordre. »

Dans un banc de granit soigneusement choisi, on commençait par creuser des tranchées latérales pour pouvoir découper les contours de l'obélisque. Non pas avec des outils coupants, mais par percussion : des chocs violents et rapides, portés avec des boules de dolérite – une roche volcanique très dure, abondante près d'Assouan – permettaient de dissocier les cristaux de granit en les faisant entrer en vibration. Il faut imaginer des ouvriers soulevant à deux mains des sphères grosses comme un melon et les laissant retomber de tout leur poids. Les coups atteignaient d'abord les éléments les moins durs (feldspath et mica) de cette pierre hétérogène qui compte aussi du quartz, du porphyre et de l'amphibole [7]. Les marteaux de dolérite s'émoussaient peu à peu, formant des galets de pierre inutilisables que l'on retrouve dans ces carrières. Les ciseaux de métal n'étaient utilisés qu'en fin de travail, notamment pour graver des inscriptions. Les faces de l'obélisque avaient été polies au préalable par du quartz finement pilé, qui était frotté à l'aide d'un outil en pierre [8].

Le monolithe, entièrement découpé, se trouvait alors dans une sorte de longue cuve dont il fallait l'extraire. Pour cela, plusieurs grands leviers de bois permettaient de le faire basculer d'un côté puis de l'autre, jusqu'à le sortir entièrement. Il était ensuite traîné jusqu'au Nil sur des rampes glissantes,

7. Henri Chevrier, « Problèmes posés par les obélisques », *Revue d'égyptologie*, 22, 1970.

8. Rosemarie Klemm, « Roches et carrières », dans *L'Égypte sur les traces de la civilisation pharaonique*, ouvrage collectif, traduit de l'allemand, Cologne, Köneman.

recouvertes de limon mouillé. Puis on le hissait à bord d'une grande barge, tirée par plusieurs bateaux à rames pour le conduire jusqu'à son lieu d'érection.

Les anciens Égyptiens ne disposaient d'aucun instrument de levage susceptible de soulever de tels poids, mais ils avaient apparemment trouvé un système très ingénieux : le silo à sable. Des centaines d'hommes traînaient le monolithe jusqu'au sommet d'un immense caisson. Une trappe s'ouvrait, faisant basculer sa base vers le bas, à mesure que le sable était évacué. Le mouvement était parfaitement contrôlé et pouvait être interrompu à tout moment. Il fallait guider l'obélisque de manière à le placer exactement sur son socle de granit, installé à l'avance. Il devait y être simplement posé, à sec, sans mortier et sans encastrement.

Le monolithe arrivait d'abord en position oblique, pour que l'une de ses arêtes inférieures vienne s'insérer dans un sillon. Puis – c'était la manœuvre la plus délicate – on le faisait pivoter sur cette arête en tirant par des cordes jusqu'à la position verticale, mais en le retenant avec d'autres cordes pour l'empêcher de retomber trop brutalement et de se briser. La perfection devait être difficile à atteindre : aucun obélisque égyptien n'est absolument vertical[9].

À en croire Pline l'Ancien, Ramsès II avait fait attacher l'un de ses (très nombreux) fils au sommet d'un monolithe durant cette phase cruciale de l'opération pour que les ouvriers se montrent particulièrement vigilants. Était-ce au temple de Louqsor ? Et pour l'obélisque occidental, aujourd'hui à Paris ? On ne le saura jamais. D'ailleurs, tout laisse à penser qu'il s'agit d'une légende…

9. Golvin et Goyon, *Les Bâtisseurs de Karnak*, p. 129 à 137.

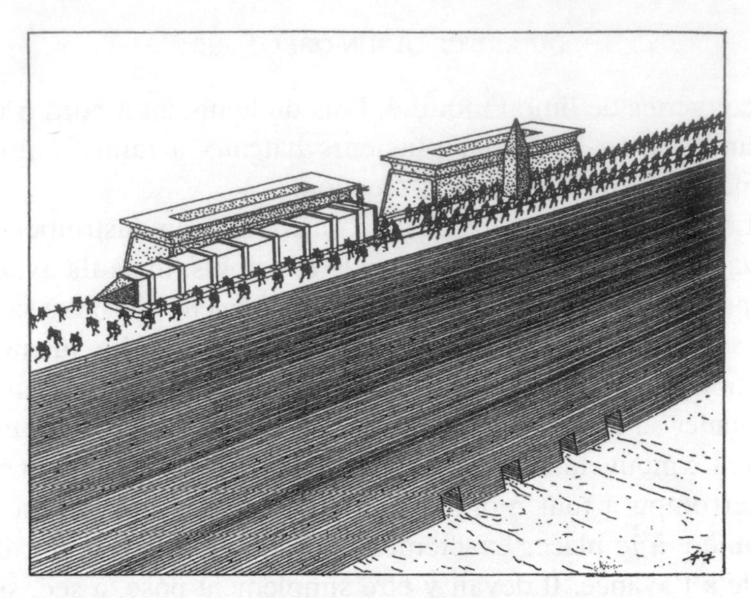

Le premier obélisque a été posé et l'on assiste à l'arrivée du second, tiré par des centaines d'hommes. Le monolithe est amené au-dessus du silo. Pénétrant dans les tunnels, des porteurs évacuent le sable à l'aide de paniers pour faire basculer l'aiguille de granit qui va atteindre peu à peu la position verticale (dessin de Jean-Claude Golvin, publié dans Les Bâtisseurs de Karnak*).*

35

Coiffé d'or

En 1974, le maire du huitième arrondissement, qui préside l'association pour l'embellissement de la place de la Concorde, invite l'égyptologue Christiane Desroches-Noblecourt à entrer dans son comité. Aurait-elle une suggestion à faire ? Elle propose aussitôt de doter l'obélisque d'un pyramidion doré[1]. C'est la première fois qu'une femme intervient dans cette histoire…

L'idée est combattue par d'autres égyptologues, et écartée par l'administration. Mais elle va faire lentement son chemin. À une demande déposée en 1987 par un citoyen allemand, Richard Hillinger, la sous-direction des Monuments historiques répond que son rôle est « de conserver les monuments dans l'état où l'Histoire nous les a légués plutôt qu'à reconstituer un état ancien, surtout lorsque manquent les documents nécessaires à une parfaite reconstitution ». Par ailleurs, l'administration déclare « ignorer quelle serait la réaction du public devant une modification de l'apparence familière de ce monument[2] ».

1. Christiane Desroches-Noblecourt, *Sous le regard des dieux*, p. 338-339.
2. Lettre signée Anne Magnant, 21 avril 1987.

L'année suivante, l'association des magasins et sociétés de la rue Royale reprend l'idée et propose de financer l'entreprise. Refus de la direction du Patrimoine, qui s'appuie sur l'avis d'un égyptologue : « Certes, les obélisques égyptiens étaient coiffés ainsi à leur sommet. Mais, dans le cas présent, on n'a pas d'indication sur la forme exacte que devait présenter le pyramidion. De toute façon, il ne semble pas qu'à l'heure actuelle on puisse procéder à des restaurations ou à des adjonctions telles qu'elles ont été en usage à la Renaissance. On mesurera le mauvais effet que peut causer la prothèse d'accessoires de bronze si l'on considère l'obélisque dressé à Londres sur les bords de la Tamise. On nc doit pas modifier une antiquité telle que les siècles l'ont transmise [3]. »

Christiane Desroches-Noblecourt revient à la charge à l'occasion des festivités prévues en 1998 pour le bicentenaire de l'Expédition d'Égypte. Elle est soutenue par Étienne Poncelet, architecte en chef des Monuments historiques, chargé du huitième arrondissement : un pyramidion métallique « assurerait la protection du haut de l'obélisque en même temps que sa finition esthétique et symbolique ».

La visite à Paris du président Moubarak, au printemps 1998, est une occasion à saisir. Ne faut-il pas marquer par un geste spectaculaire l'année France-Égypte, placée sous le signe des « horizons partagés » entre les deux pays ? « J'étais sûre et certaine que si le pyramidion n'était pas posé à cette occasion, cela ne se ferait plus jamais, explique Christiane Desroches-Noblecourt. J'ai donc écrit au président Chirac [4]. »

L'obélisque appartient à l'État. Il a été classé monument historique le 22 janvier 1937, en même temps que la place de

3. Lettre du 18 juillet 1990, signée Christian Prevos Marcilhacy.

4. *Sous le regard des dieux*, p. 340-341.

la Concorde. Modifier sa pointe exigerait-elle une décision au sommet de la République ? En tout cas, le chef de l'État donne son accord. Les mécènes, eux, sont déjà trouvés : Pierre Bergé et la Maison Yves Saint Laurent, dont il est le PDG, sont prêts à financer l'opération, évaluée à 1,5 million de francs.

Après diverses recherches, il est décidé de construire une coiffe métallique de 3,60 mètres de hauteur, aux quatre faces légèrement convexes, inclinées de 78°. La pointe sera tronquée sur 12 centimètres pour permettre le levage, assurer la ventilation et limiter les risques de foudre.

Avant de poser ce capuchon, on nettoie le sommet de l'obélisque et on le consolide. Un moulage du pyramidion existant permet d'ajuster en atelier la fabrication de la partie métallique et d'étudier ses fixations. Une maquette en bois est ensuite placée *in situ* pour évaluer la justesse des proportions.

La Fonderie d'art de Coubertin fabrique des tôles de bronze laminé de 4 mm d'épaisseur, titré à 9 % d'étain et 91 % de cuivre, qui sont soudées entre elles à l'argon et renforcées par quatre traverses en inox. Cette coiffe est sablée et protégée par sept couches préparatoires avant d'être revêtue de feuilles d'or de 23,5 carats par les ateliers Gohard. On a choisi une teinte aussi proche que possible de celle de l'électrum utilisé dans l'ancienne Égypte. Le pyramidion est isolé de la pierre par des ceintures en téflon et néoprène qui lui permettent de se dilater et d'être ventilé. Il est donc démontable pour l'entretien et susceptible d'être retiré, ce travail ayant été conçu comme entièrement réversible.

Le 14 mai 1998, sous une pluie battante, Christiane Desroches-Noblecourt, Pierre Bergé et Aly Maher El Sayed, ambassadeur d'Égypte à Paris, prennent place dans une nacelle électrique pour coiffer symboliquement l'obélisque. Une nouvelle plaque en forme de pyramidion, dessinée sur le même

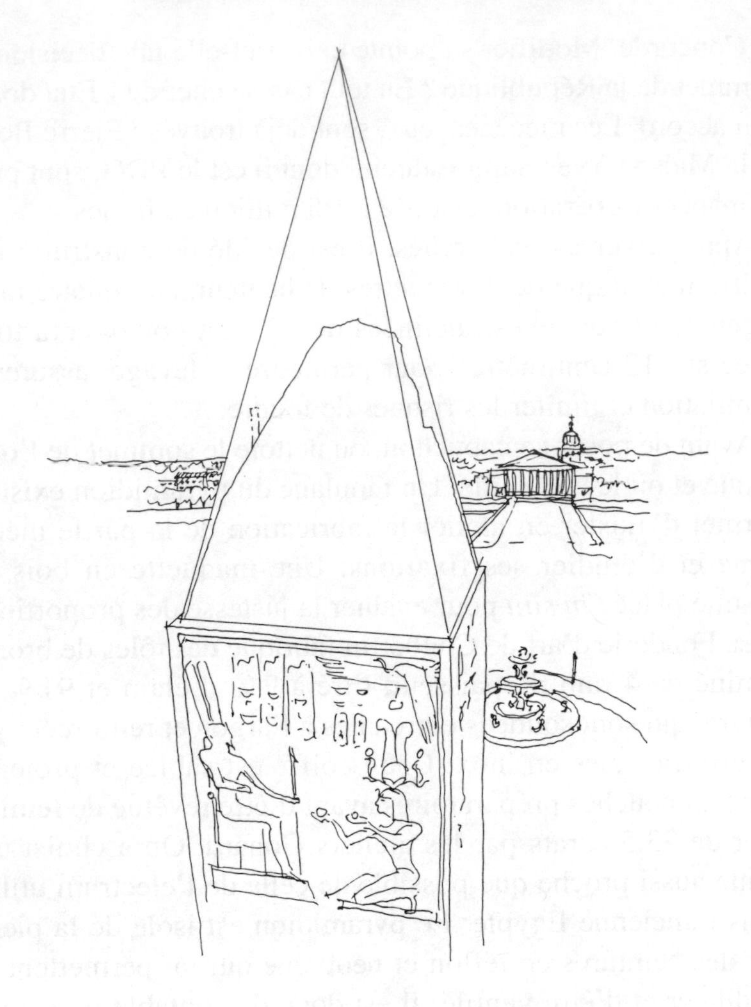

Le nouveau pyramidion (dessin d'Étienne Poncelet).

triangle à 78° et en même tôle de bronze laminée, est fixée au pied du podium. Y figure un texte assez mal découpé, mais qui a le mérite de rendre enfin justice à Champollion :

Cet
obélisque
offert par
l'Égypte à la
France en 1830
pour servir
éternellement de
lien entre les deux
pays a été revêtu de
son pyramidion
d'origine le
14 mai 1998
sous la présidence de
JACQUES CHIRAC
en présence de
CATHERINE TRAUTMANN
ministre de la Culture et de la
Communication
et
d'ALY MAHER EL SAYED
ambassadeur d'Égypte, à l'occasion de
l'année France Égypte « Horizons partagés »
et de la visite en France
du président de la République arabe d'Égypte
HOSNI MOUBARAK

X

Le monument ainsi reconstitué est dédié à la
mémoire de
JEAN-FRANCOIS CHAMPOLLION
fondateur de l'égyptologie
qui en fit le choix au temple de Louxor

XX

CE PYRAMIDION A ÉTÉ RÉALISE GRÂCE AU SOUTIEN D'YVES SAINT LAURENT,
DE PIERRE BERGÉ ET DE LA MAISON YVES SAINT LAURENT

Les amoureux de l'Égypte mettront quelque temps à s'habituer à la nouvelle forme, beaucoup plus pointue, du monument. Mais le pyramidion va s'imposer peu à peu. Plus personne n'imaginera l'obélisque de la Concorde sans cette coiffe élancée et scintillante, qui lui donne encore plus de majesté.

36

Des soins nécessaires

L'obélisque est-il en bon état ? A-t-il bien supporté sa transplantation à Paris ? Ces questions viennent naturellement à l'esprit, et elles sont légitimes.

Un article alarmiste, paru en 1895, s'inquiétait pour « l'infortuné géant de granit rose [1] ». Son auteur, Pierre Robbe, écrivait : « Le violent hiver qui nous quitte enfin lui a fait deux cruelles blessures. Sur la face même qui regarde le soleil, père de ce Rhamsès dont il chante la gloire, l'une s'ouvre à l'angle de sa base, naguère simple ride, aujourd'hui sillon triangulaire que l'effort des gelées a élargi et creusé, l'autre, longue fissure de plusieurs mètres, a fendu le bloc en plein, et le marque d'une strie noire, de loin visible, jusqu'au quart de sa hauteur. » Interpellant les pouvoirs publics, l'auteur demandait que soient appliqués « des ciments guérisseurs de ces déchirures qu'on n'a pas su prévenir et des enduits sauveurs qui enveloppent la pierre comme d'une cuirasse invisible ». Et il ajoutait avec la même emphase : « Faites à l'exilé de Louqsor, à ce blessé de l'hiver, quelques pansements appropriés pour qu'il puisse

1. « Pour l'obélisque », Archives nationales, F 21 2356.

continuer, sans autre injure, à distraire sa mélancolie... »

À la suite de cet article, le fonctionnaire chargé de la surveillance et de l'entretien de l'obélisque s'est rendu sur place et a fait un rapport au directeur des Bâtiments civils. Sa lettre commence de manière inquiétante : « Ainsi qu'il est dit, l'obélisque de Louqsor est réellement fendu verticalement faces nord et sud sur une longueur de plusieurs mètres et, à la base, l'angle sud-ouest ne fait pas corps avec le reste du monument. » Mais pour ajouter : « Les dégradations signalées existent depuis que l'obélisque a été installé sur son piédestal. Bourrées au moyen de masticages au moment de la pose, ces fissures se sont évidemment à la longue noircies et un peu dégarnies ; mais pour le moment, aucun accident n'est à craindre, et les admirateurs du monument des pharaons peuvent dormir tranquilles. »

Une réponse plus sérieuse figure dans un document récent, établi par Étienne Poncelet, architecte en chef des Monuments historiques, chargé du huitième arrondissement de Paris. Son *Étude préalable de stabilité*, datée du 2 septembre 1999 et remise à la direction régionale des Affaires culturelles d'Île-de-France, n'a pas été rendue publique.

L'obélisque, remarque-t-il, a été nettoyé en 1952. Si son granit poli est peu sensible aux salissures, l'air pollué et les poussières provoquent des concrétions de crasse qui se logent dans le creux de ses hiéroglyphes. Deux nouveaux essais de nettoyage ont été effectués à la fin des années 1990. Le premier, par lessivage à la brosse, a surtout été concluant sur le granit du socle, plus lisse que celui de l'obélisque. Le second, à sec, par microbalayage à la sphère de calcium, a montré que la pierre d'Assouan pouvait, sans être agressée, retrouver sa teinte rose clair. Ces tests ont été suivis de l'application sur le socle d'une matière à base de méthyl, qui a permis au granit breton de revenir à son aspect d'origine.

La coiffe métallique du pyramidion a réduit les déjections d'oiseaux, mais il arrive que des pigeons ou des corbeaux se posent au sommet. Dans son étude de 1999, l'architecte proposait de nettoyer l'ensemble de l'obélisque pour ôter les inclusions de sel et de micro-organismes, notamment sur la face Seine, qui est la plus exposée aux vents dominants du sud-ouest. Il suggérait aussi d'appliquer de la résine sur le socle.

À terme, la pluie et le gel peuvent fragiliser l'épiderme de la pierre. On constate déjà une perte de matière au niveau de la surface, avec dissolution et disparition des cristaux.

Contrairement à ce qui a été toujours affirmé, le transport du monolithe n'a pas été sans conséquence. À la base, l'arête ouest (Seine-Champs-Élysées) a subi un dommage visible, sans doute au moment de l'abattage de l'obélisque ou de son érection. Ces fissures et éclats ont été ragréés par un mortier rose et, plus récemment, avec de la résine.

Mais c'est surtout la fissure dont l'obélisque souffre depuis l'origine qui a retenu l'attention d'Étienne Poncelet. Les passants peuvent l'apercevoir sur la face tournée vers la Madeleine, et plus encore sur celle qui regarde la Seine. Une observation plus fine permet de constater qu'elle se prolonge sur la partie haute du piédestal moderne. Il ne peut s'agir d'une simple coïncidence. Fissuré, l'obélisque repose en quelque sorte sur deux pieds au lieu d'un. Sa charge est donc inégalement répartie sur le piédestal, qui en subit les conséquences.

Théoriquement, plusieurs facteurs pourraient aggraver la fissure : le vent, les vibrations du trafic et les variations de température.

Pour ce qui est du vent, il n'y a, semble-t-il, rien à craindre :

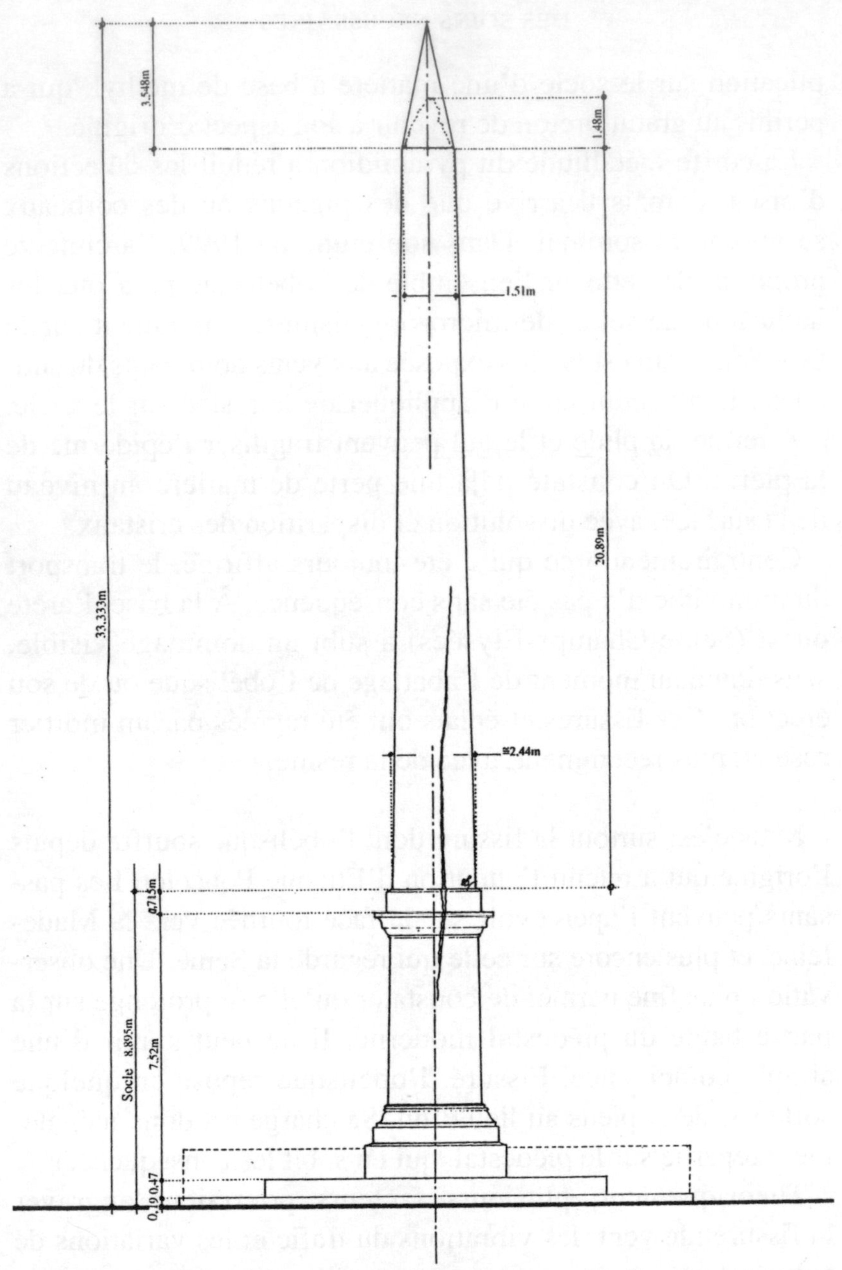

La face donnant sur la Madeleine, avec la fissure (dessin d'Étienne Poncelet).

des tests entrepris en février et mars 1999, par fibre optique, ont montré que le monolithe résiste bien aux bourrasques. Les effets de trois grands vents d'équinoxe, avec des pointes à 70 km/h, ont été jugés normaux. Par ailleurs, le monument ne semble pas souffrir particulièrement des vibrations dues au trafic automobile ou au métro. Paradoxalement, c'est le soleil (auquel l'obélisque était habitué… et dédié) qui donne le plus de souci à l'architecte.

La différence entre les températures diurne et nocturne n'est pas spécialement forte à Paris, alors qu'à Abou Simbel, à l'extrême sud de l'Égypte, le thermomètre peut varier de 15° à 41° en huit heures… Toujours est-il que l'obélisque de la Concorde subit chaque jour des dilatations et des contractions. C'est un mouvement de pendule, parfaitement réversible, qui le ramène chaque fois au même point, mais qui peut créer des transferts de charge ponctuels, susceptibles à la longue d'élargir les fissures.

Dans son étude de 1999, l'architecte suggérait trois mesures : regarnir en profondeur la fissure principale et compléter le joint horizontal entre le monolithe et son socle ; poser à cette jointure deux discrètes ceintures en titane ; contrôler les fondations, dont on ignore la nature, pour s'assurer en particulier de la parfaite horizontalité du podium.

L'obélisque est-il menacé par la foudre ? Cette question s'est posée dès son érection, en 1836. On jugeait alors le monument égyptien beaucoup plus fragile que la colonne de la place Vendôme, protégée, elle, par une enveloppe métallique dans toute sa longueur. Certains partisans du pyramidion en métal y voyaient un moyen de résoudre ce problème : la coiffe aurait fait office de paratonnerre, à condition d'être complétée par quatre câbles d'acier descendant jusqu'au sol.

Étienne Poncelet estime que le risque de foudre est très réduit mais pas nul (un coup tous les trente-trois ans). Le paratonnerre de l'Hôtel de la Marine est trop éloigné de l'obélisque pour le protéger. Et, tandis que la fissure favorise des infiltrations d'eau, le nouveau pyramidion pourrait avoir rendu le monument plus sensible à la menace d'une décharge électrique violente. En guise de paratonnerre, l'architecte a suggéré de mettre en place un petit pyramidion en cristal démontable et de poser un ruban de cuivre sur l'arête sud, relié à la grille qui entoure le monument, avec mise à la terre dc celle-ci.

« L'on ne peut qu'approuver les interventions proposées par l'architecte en chef », affirmait l'inspecteur général des Monuments historiques, Benjamin Mouton, dans un avis daté du 26 janvier 2000. Mais, quatre ans plus tard, aucune de ces mesures n'avait encore été appliquée.

37

Louqsor-sur-Seine

En regardant la façade mutilée du temple de Louqsor, on se dit parfois que la France aurait mieux fait d'emporter les deux obélisques… Celui qui reste, à côté d'un socle vide, souligne douloureusement l'absence de l'autre.

L'État français a eu le bon goût de renoncer au deuxième monolithe, qui faisait partie du cadeau de Mohammed Ali. À vrai dire, nul n'imaginerait ce monument en train de quitter la vallée du Nil à son tour. Ce qui ne choquait pas grand monde dans la première moitié du dix-neuvième siècle apparaîtrait intolérable, et même impensable, aujourd'hui.

Il n'est pas question pour autant – et le gouvernement égyptien ne le réclame pas – de rendre l'obélisque de la place de la Concorde. Ce dernier a été offert et non dérobé, contrairement à celui d'Axoum, saisi par les forces de Mussolini en Éthiopie puis érigé à Rome.

On s'est demandé à Paris, à la fin des années 1990, si la France ne devait pas offrir à l'Égypte une réplique (en résine, par exemple) de l'obélisque de la Concorde. L'idée a été jugée maladroite et abandonnée. Il n'est pas dans les habitudes, lors des restaurations de temples pharaoniques, de reconstruire quoi que ce soit. Une prothèse moderne ne ferait que rappeler davantage l'amputation survenue en 1831.

Louqsor était le seul temple d'Égypte à avoir conservé deux obélisques debout devant son entrée. Cela rend d'autant plus contestable l'opération dont il a été victime. Que Mohammed Ali ait offert l'obélisque à la France ne change pas grand-chose au débat : il se trouvera toujours un Égyptien pour estimer que ce pacha d'origine étrangère n'était pas autorisé à brader le patrimoine national.

Pour leur défense, les Français peuvent avancer trois arguments :

1) Au début du dix-neuvième siècle, les Égyptiens se désintéressaient de leurs antiquités, qui risquaient à tout moment d'être transformées en matériau de construction. Si certains objets et monuments n'avaient pas été transportés en Europe, ils auraient disparu à jamais.

2) La façade de Louqsor, encombrée d'habitations, importait peu à l'époque. Personne n'imaginait que le temple serait dégagé un jour. De manière significative, Auguste Mariette, qui dirigeait le Service des antiquités égyptiennes, écrivait en 1869 : « Submergé sous les maisons modernes qui l'ont envahi comme une marée montante, le temple de Louqsor n'offre au visiteur qu'un intérêt médiocre[1]. » Le dégagement n'a commencé qu'au milieu des années 1880, à l'initiative de son successeur, Gaston Maspero. Le Français a dû se battre alors contre des notables locaux et des trafiquants de vestiges pharaoniques, et trouver des fonds grâce à une souscription internationale, lancée par le *Journal des débats* à Paris et le *Times* à Londres.

1. Mariette Pacha, *Itinéraires de la Haute-Égypte*, Paris, Les Éditions 1900, 1990, p. 138.

3) L'obélisque de Louqsor, trônant majestueusement en plein cœur de Paris, est – avec le musée égyptien du Louvre – une magnifique vitrine pour le pays des pharaons. Quoique détourné de sa fonction, qui était de faire paire avec un autre à l'entrée d'un temple, il a été globalement respecté, sans être « converti » à une autre religion ou affublé de décorations ridicules.

L'obélisque s'est intégré au paysage. En octobre 1936, pour le centième anniversaire de son érection, *L'Illustration* constatait : « Les yeux qui l'admirent aujourd'hui ont l'impression que cette place grandiose a été aménagée pour lui ou qu'il a été construit pour elle tant l'harmonie est parfaite. »

Une harmonie qui sera brisée à plusieurs reprises. En 2000, par exemple, avec l'installation d'une grande roue lumineuse de 60 mètres de haut devant la grille d'honneur des Tuileries. Ayant été autorisé à installer cette attraction foraine pour les festivités du millénaire, son promoteur refusait de la démonter à l'échéance prévue. Il a fallu lui forcer la main pour que la place de la Concorde ne se transforme pas en Luna Park permanent.

L'obélisque a été utilisé comme mur d'escalade en avril 1998 par un grimpeur surnommé « l'homme araignée », qui avait déjà exercé ses talents sur des édifices moins prestigieux. Il s'est hissé jusqu'au sommet, malgré des hiéroglyphes trop glissants à son goût, avant d'être interpellé par la police. Une grande chaîne de télévision a cru devoir diffuser en direct cet « exploit », présenté comme « un message de paix ».

Les militants d'Act Up ont retenu davantage l'attention, le 1er décembre 1993, à l'occasion de la journée mondiale du sida, en recouvrant l'obélisque d'un préservatif géant de couleur rose. La photo a fait le tour du monde.

En juillet 1999, pour fêter sa victoire au football, la France était prête à tous les cocoricos. Quatre robots gigantesques, représentant les quatre continents, ont déambulé dans les rues de Paris avant de se retrouver autour de l'obélisque de la Concorde, recouvert pour la circonstance d'une gigantesque coupe du monde. Cet habillage d'un goût douteux n'a pas manqué d'être dénoncé, ici ou là, comme une atteinte à la culture. Mais les autorités se sont bien gardées de signaler que la pose de la structure métallique avait abîmé le nouveau pyramidion, y laissant des éraflures et des traces de coups [3].

Doyen des monuments parisiens, l'obélisque de la Concorde est désormais indissociable de la capitale. Aucun touriste ne l'ignore. On le photographie volontiers de l'angle nord-est de la place pour avoir la tour Eiffel à l'arrière-plan. Chaque été, grâce à la télévision, quand les coureurs du Tour de France dévalent la rue de Rivoli et les Champs-Élysées, les téléspectateurs peuvent admirer en gros plan ses hiéroglyphes gravés.

Un monument parisien, mais aussi français, dont « l'intégration » est illustrée par le défilé annuel du 14 juillet. La tribune officielle est adossée à l'obélisque, qui reçoit le salut de toutes les armées de la République. C'est là, le 25 août 1944, jour de la Libération de Paris, que s'étaient donné rendez-vous les unités de la division Leclerc. Le lendemain, les Parisiens y acclamaient le général de Gaulle, venu à pied de l'Étoile, avant de se rendre à Notre-Dame.

Mais la rencontre la plus remarquable de l'obélisque de la Concorde est celle qu'il a faite avec… Ramsès II. Plus exactement avec sa momie, venue se faire « soigner » à Paris en

3. Étienne Poncelet, *Obélisque de Louqsor. Étude préalable de stabilité*, 1999.

1976 : vieille de trente-deux siècles, elle était victime d'un dangereux champignon, qu'il fallait identifier et traiter.

On a assisté alors à cette chose extraordinaire : un pharaon prenant l'avion, survolant les pyramides, puis franchissant la Méditerranée. Ramsès II a été accueilli au Bourget par un détachement de la Garde républicaine, comme un chef d'État en exercice. Avant de rejoindre une salle stérile du musée de l'Homme, il s'est offert symboliquement un tour de la Concorde, escorté de motards de la police nationale. Histoire de saluer « son » obélisque et de vérifier que celui-ci trônait bien au milieu d'une place à sa mesure. La plus belle du monde, dit-on… Le pharaon est reparti pour l'Égypte quelques mois plus tard, apparemment satisfait et, en tout cas, guéri.

Annexes

ANNEXE I

Mesures

L'obélisque de la Concorde a gagné en hauteur depuis la pose du pyramidion métallique. Mais, indépendamment de cela, les mesures prises par l'ingénieur Apollinaire Lebas en 1831 ne correspondent pas tout à fait à celles qu'Étienne Poncelet, architecte en chef des Monuments historiques, a établies en 1999 à l'aide d'une nacelle.

		Lebas	**Poncelet**
Face Étoile	Côté haut	1,58	1,58
	Côté bas	2,42	2,415
Face Madeleine	Côté haut	1,50	1,51
	Côté bas	2,44	2,375
Face Tuileries	Côté haut	1,58	1,56
	Côté bas	2,42	2,37
Face Seine	Côté haut	1,50	1,505
	Côté bas	2,42	2,43
Hauteur sans le pyramidion		20,90	20,89
Hauteur du pyramidion altéré		1,94	1,48
Hauteur du pyramidion doré			3,548
Hauteur totale de l'obélisque		**22,84**	**24,438**

Voici les autres mesures prises en 1999 :

Hauteur de la base moderne	0,715
Hauteur du piédestal	7,52
Hauteur du podium	0,47
Emmarchement	0,19
Hauteur totale du socle	8,895
Hauteur du socle de Louqsor	3,935
Hauteur totale à Louqsor	**28,373**
Hauteur totale à Paris	**33,333**

Comme l'avait constaté Apollinaire Lebas – et, avant lui, les ingénieurs de Bonaparte –, les faces de l'obélisque sont légèrement convexes. Elles font un angle général de 89° par rapport à la verticale. La base n'est pas carrée (deux grands côtés Seine et Étoile, deux petits côtés Tuileries et Madeleine). La partie haute, sous le pyramidion, est un rectangle de 158 cm sur 150.

Lebas évaluait à 220,5 tonnes le poids de l'obélisque. Étienne Poncelet, lui, l'estime à 222 tonnes, pour une densité de 2,7, pyramidion compris. Les cinq blocs de granit composant le socle étant donnés pour 240 tonnes, on obtient un poids total de 462 tonnes pour une surface d'assiette de 18 m^2. Soit 25,66 T/m^2, ce qui correspond aux normes habituellement admises.

ANNEXE II

Inscriptions hiéroglyphiques

Après l'érection de l'obélisque à la Concorde, plusieurs pseudo-savants, contestant la méthode de Champollion, prétendaient déchiffrer les hiéroglyphes gravés sur le monument. Un ecclésiastique, l'abbé O'Donnely, en publia une « traduction » complètement farfelue en 1851, où il était question de « la trinité sublime », de « tous les chérubins » et de « la quaternité du roi de feu, doué de la vie éternelle »...

Les textes de l'obélisque de la Concorde sont à la gloire de Ramsès II. Une même scène est reproduite sur les quatre faces, en haut du fût : le pharaon à genoux offre du vin au dieu Amon assis. En dessous figurent trois colonnes verticales de hiéroglyphes. Dans la colonne centrale, le souverain assure qu'il a approvisionné la demeure d'Amon, tandis que dans les colonnes latérales il fait savoir que les chefs des pays étrangers sont à ses pieds, que tous les peuples de la terre lui sont soumis et que la durée de sa vie est comme celle du disque solaire dans le ciel.

Ces textes répétitifs ne contiennent aucun renseignement historique sur les batailles livrées par Ramsès II. Il s'agit d'un panégyrique général, sans détails et sans nuances, mais qui traduit une idée fondamentale : le pharaon, à la fois homme et dieu, poursuit l'œuvre de la création et maintient l'ordre cosmique du monde.

À la suite de Champollion, plusieurs égyptologues ont publié une traduction des textes de l'obélisque, notamment François Chabas, en 1868. Les progrès réalisés dans la lecture des hiéroglyphes ont permis à Bernadette Menu de proposer une bien meilleure transcription dans son livre *L'Obélisque de la Concorde* (Versailles, Éditions du Lunx, 1987). Avec son aimable autorisation, voici ce texte, accompagné des dessins de Jean-Christophe Menu.

LES SCÈNES D'OFFRANDE DU PYRAMIDION

***Face nord**, au-dessus d'Amon :*

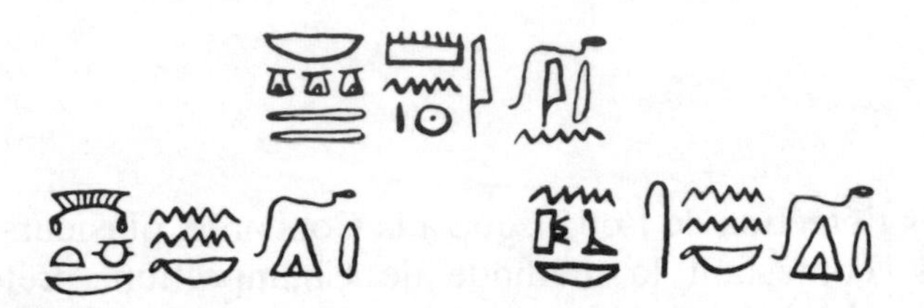

« Proclamation par Amon-Rê, maîtres des trônes des Deux-Terres. Proclamer : "Je t'ai donné la santé et la joie totales." »

Au-dessus du roi :

« Le dieu parfait, le maître des Deux-Terres, Ouser-maât-Rê, fils de Rê, seigneur d'apparitions, Ramsès-mériamon, doué de vie comme Rê, éternellement ! »

L'action du roi :

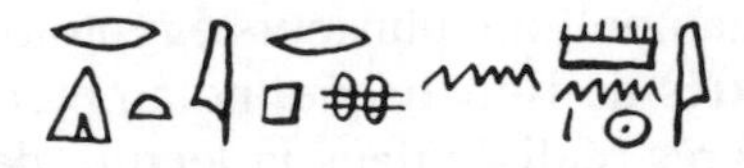

« Donner du vin à Amon-Rê. »

***Face est**, au-dessus d'Amon :*

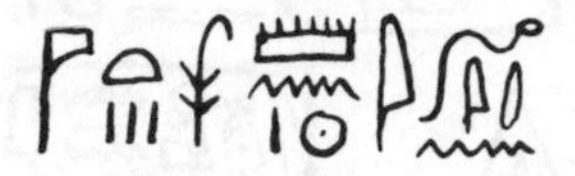

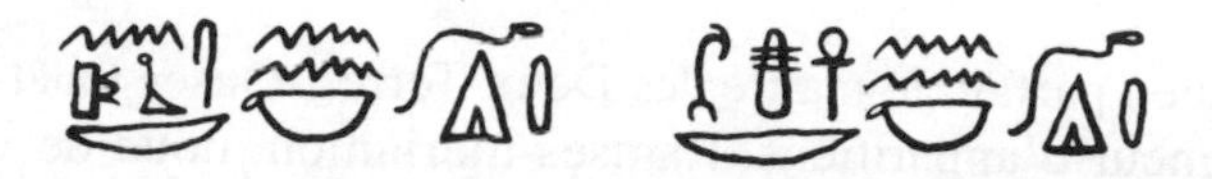

« Proclamation par Amon-Rê, roi des dieux. Proclamer : "Je t'ai donné la vie, la stabilité, la domination totales, je t'ai donné la complète santé." »

Au-dessus du roi :

« Le maître des Deux-Terres, Ouser-maât-Rê, le seigneur d'apparitions Ramsès-mériamon, doué de vie. »

***Face sud**, au-dessus d'Amon :*

« Proclamation par Amon-Rê, roi des dieux. Proclamer : "Je t'ai donné la vie, la stabilité, la domination totales, je t'ai donné la complète santé." »

Au-dessus du roi :

« Le dieu parfait, le maître des Deux-Terres, Ouser-maât-Rê, fils de Rê, seigneur d'apparitions, Ramsès-mériamon, doué de vie comme Rê ! »

L'action du roi :

« Une offrande de vin qu'il fait. Qu'il soit doué de vie ! »

***Face ouest**, au-dessus d'Amon :*

« Proclamer : "Je t'ai donné toute joie." Amon-Rê est en face de lui. »

Au-dessus du roi :

« Le dieu parfait, Ouser-maât-Rê-setep-en-Rê, fils de Rê, Ramsès-mériamon, doué de vie, stabilité, domination, comme Rê ! »

L'action du roi :

« Une libation qu'il fait à Amon-Rê. Qu'il soit doué de vie ! »

LES TEXTES PRINCIPAUX (LIGNES CENTRALES)

Face nord :

« *L'Horus :* Taureau puissant, aimé de Maât. *Les Deux-Maîtresses :* Protecteur de l'Égypte, conquérant des pays étrangers. *L'Horus d'or :* Riche d'années, grand de victoires. *Le roi de Haute et de Basse Égypte :* Ouser-maât-Rê, souverain des souverains, qu'a engendré Atoum, d'une seule chair avec lui, pour créer sa royauté sur terre, éternellement, pour doter le domaine d'Amon de vivres. (C'est ce) qu'a fait pour lui *Le fils de Rê :* Ramsès-mériamon, qu'il vive à jamais ! »

Face est :

« *L'Horus :* Taureau puissant [aimé] de Rê qui brise les Asiatiques. *Les Deux-Maîtresses :* Qui combat la multitude, lion au cœur vaillant. *L'Horus d'or :* Grand de victoires sur tout pays étranger. *Le roi de Haute et de Basse Égypte :* Ouser-maât-Rê, taureau sur sa frontière, pour fondre sur tout pays qui fuit devant lui, sur ordre d'Amon, son père vénérable. (C'est ce) qu'a fait pour lui *Le fils de Rê :* Ramsès-mériamon, qu'il vive à jamais ! »

Face sud :

« *L'Horus :* Taureau puissant qui combat de son bras vigoureux. *Les Deux-Maîtresses :* Qui abat ce qui l'atteint, qui en vient à bout. *L'Horus d'or :* Grande de magnificence, possesseur de force. *Le roi de Haute et de Basse Égypte :* Ouser-maât-Rê, semence divine ; c'est lui, Amon, maître des dieux, qui fait que le sanctuaire consacré demeure dans la joie et que le grand temple de l'Ennéade soit doublement dans l'allégresse. (C'est ce) qu'a fait pour lui *Le fils de Rê :* Ramsès-mériamon, qu'il vive à jamais ! »

Face ouest :

« *L'Horus :* Taureau puissant à la grande force. *Le roi de Haute et de Basse Égypte :* Ouser-maât-Rê-setep-en-Rê, fils aîné du roi des dieux, son messie sur son trône terrestre, pour être le Maître unique, celui qui ravit tout pays qu'il sait dans sa protection, pour embellir son noble temple de millions d'années qu'il est en train de construire à Ipet-sout : c'est lui qui l'honore des millions de fois. (C'est ce) que fait pour lui *Le fils de Rê :* Ramsès-mériamon, qu'il vive ! »

LES TEXTES PRINCIPAUX
(LIGNES LATÉRALES)

Face nord :

Ligne est : « L'Horus : Taureau victorieux à la force puissante qui gouverne les foules grâce à son bras vigoureux, qui capture tous les pays étrangers dans ses victoires. *Le roi de Haute et de Basse Égypte :* Ouser-maât-Rê-setep-en-Rê. *Le fils de Rê :* Ramsès-mériamon. Tous les pays étrangers avancent vers lui, chargés de tributs. *Le roi de Haute et de Basse Égypte :* Ouser-maât-Rê-setep-en-Rê. *Le fils de Rê :* Ramsès-mériamon, doué de vie. »

Ligne ouest : « *L'Horus* : Taureau puissant, aimé de Rê, souverain à la grande rage de vaincre, à la force terrible ; il fait trembler tous les pays par sa valeur. *Le roi de Haute et de Basse Égypte :* Ouser-maât-Rê-setep-en-Rê. *Le fils de Rê :* Ramsès-mériamon, Montou fils de Montou qui œuvre de ses deux bras. *Le roi de Haute et de Basse Égypte :* Ouser-maât-Rê-setep-en-Rê. *Le fils de Rê :* Ramsès-mériamon, doué de vie. »

Face est :

Ligne sud : « *L'Horus* : Taureau puissant, grand de victoires qui combat de son bras vigoureux roi ample d'acclamations, maître d'effroi, sa force brise tous les pays étrangers. *Le roi de Haute et de Basse Égypte :* Ouser-maât-Rê-setep-en-Rê. *Le fils de Rê :* Ramsès-mériamon, aimé dès son apparition comme appartenant à la domination. *Le roi de Haute et de Basse Égypte :* Ouser-maât-Rê-setep-en-Rê. *Le fils de Rê :* Ramsès-mériamon, doué de vie. »

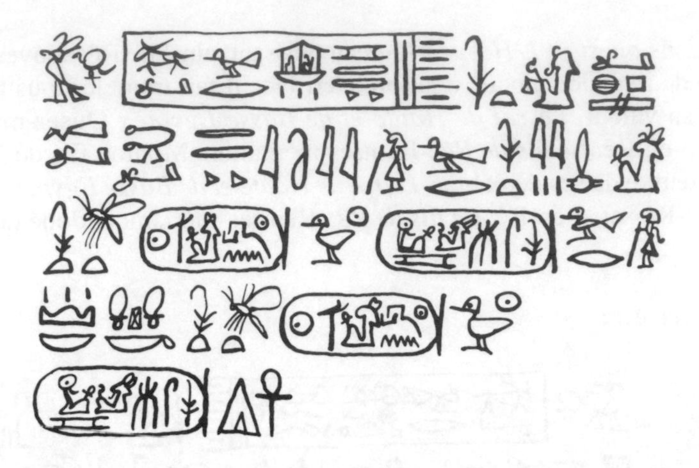

Ligne nord : « *L'Horus* : Taureau puissant, grand de jubilés, aimé des Deux-Terres, roi victorieux qui combat et qui saisit les Deux-Terres, monarque au grand règne comme Atoum. *Le roi de Haute et de Basse Égypte :* Ouser-maât-Rê-setep-en-Rê. *Le fils de Rê :* Ramsès-mériamon, les chefs de tous les pays étrangers sont sous tes sandales. *Le roi de Haute et de Basse Égypte :* Ouser-maât-Rê-setep-en-Rê. *Le fils de Rê :* Ramsès-mériamon, doué de vie. »

Face sud :

Ligne est : « *L'Horus* : Taureau puissant, aimé de Maât, roi bien-aimé comme Atoum, monarque fils d'Amon, beau tout au long de la durée universelle. *Le roi de Haute et de Basse Égypte :* Ouser-maât-Rê-setep-en-Rê. *Le fils de Rê :* Ramsès-mériamon. Tant que le ciel existera, tes monuments existeront, ton nom existera, ferme comme le ciel. *Le roi de Haute et de Basse Égypte :* Ouser-maât-Rê-setep-en-Rê. *Le fils de Rê :* Ramsès-mériamon, doué de vie. »

Ligne ouest : « *L'Horus* : Taureau puissant, fils d'Amon, roi aux monuments nombreux, grand de victoires, fils aîné de Rê, détenteur de son trône. *Le roi de Haute et de Basse Égypte :* Ouser-maât-Rê-setep-en-Rê. *Le fils de Rê :* Ramsès-mériamon, qui exalte le temple d'Amon comme l'horizon du ciel dans des monuments grands et magnifiques, pour l'éternité. *Le roi de Haute et de Basse Égypte :* Ouser-maât-Rê-setep-en-Rê. *Le fils de Rê :* Ramsès-mériamon, doué de vie. »

Face ouest :

Ligne sud : « *L'Horus* : Taureau puissant aimé de Rê. *Le roi de Haute et de Basse Égypte :* Ouser-maât-Rê-setep-en-Rê. *Le fils de Rê :* Ramsès-mériamon, souverain très fort et vigilant dans la recherche d'actions utiles à celui qui l'a mis au monde. Ton nom sera ferme comme le ciel et ta durée de vie comme Aton dans le ciel. *Le roi de Haute et de Basse Égypte :* Ouser-maât-Rê-setep-en-Rê. *Le fils de Rê :* Ramsès-mériamon, comme Rê. »

Ligne nord : « *L'Horus* : Taureau puissant aimé de Maât. *Le roi de Haute et de Basse Égypte :* Ouser-maât-Rê-setep-en-Rê. *Le fils de Rê :* Ramsès-mériamon, roi puissant, image de Rê, mandataire d'Horakhty, graine efficace, œuf légitime qu'a engendré le roi des dieux pour être le Maître unique et s'emparer de tout pays. *Le roi de Haute et de Basse Égypte :* Ouser-maât-Rê-setep-en-Rê. *Le fils de Rê :* Ramsès-mériamon, éternellement ! »

ANNEXE III

Les principaux obélisques

Il ne reste plus qu'une douzaine de grands obélisques égyptiens. La plupart se trouvent à l'étranger, notamment à Rome. Tous les auteurs ne s'accordent pas exactement sur leur hauteur. Quant à leur poids présumé, il dépend de la densité attribuée à la pierre. L'obélisque de Saint-Jean-de-Latran dépasserait 500 tonnes, tandis que celui d'Hatchepsout, à Karnak (que l'on peut considérer comme le plus grand du monde parce qu'il n'a pas été brisé et réparé) en ferait environ 370.

Rome, place Saint-Jean-de-Latran
Hauteur : 32,18 m.
Constructeur : Thoutmosis III (1508-1493 av. J.-C.). Travail achevé par Thoutmosis IV.
Emplacement d'origine : grand temple de Karnak (VIIIe pylône probablement). Transporté à Rome en 357 et érigé au Circus Maximus. Réédifié en 1588 après avoir été brisé.
Particularité : obélisque unique, qui ne faisait pas paire avec un autre.

Karnak
Hauteur : 29,56 m.
Constructeur : Hatchepsout (1490-1470 av. J.-C.).
Emplacement d'origine : IVe pylône, où il se trouve toujours.
Particularité : la partie supérieure aurait été recouverte d'or. Les inscriptions des colonnes latérales s'arrêtent à la moitié du fût.

Rome, place Saint-Pierre
Hauteur : 25,37 m.
Constructeur : inconnu.
Emplacement d'origine : Héliopolis, probablement. Transporté à Rome ; brisé sans doute lors de son installation. Remonté en 1586.
Particularité : ne porte aucune inscription.

Louqsor
Hauteur : 25 m.
Constructeur : Ramsès II (1290-1224 av. J.-C.).
Emplacement d'origine : entrée du temple de Louqsor, où il se trouve toujours.
Particularité : quatre statues de cynocéphales figurent sur les faces est et ouest de son socle ; le dieu Hâpy est représenté sur les faces nord et sud.

Rome, place du Peuple
Hauteur : 23,20 m.
Constructeur : Séthi Ier (1303-1290 av. J-C.). Achevé par Ramsès II.
Emplacement d'origine : grand temple de Rê à Héliopolis. Transporté à Rome vers 20 av. J.-C. et érigé sur le Circus Maximus. A été renversé et brisé, puis réédifié en 1589.
Particularité : a été raccourci de 65 cm avant sa réédification.

Paris, place de la Concorde
Hauteur : 22,37 m (24,43 m avec son pyramidion doré).
Constructeur : Ramsès II (1290-1224 av. J.-C.).
Emplacement d'origine : entrée du temple de Louqsor. Transporté à Paris en 1833 et érigé en 1836.
Particularité : seul obélisque doté d'un pyramidion métallique, installé en 1998.

Rome, place Monte Citorio
Hauteur : 21,79 m.
Constructeur : Psammétique II (595-589 av. J.-C.).
Emplacement d'origine : Héliopolis. Transporté à Rome vers 20 av.

J.-C. et érigé au Champ-de-Mars. Brisé par la suite en cinq morceaux. Il a été restauré et remonté en 1792.
Particularité : ses faces sont gravées de deux colonnes de hiéroglyphes.

New York, Central Park
Hauteur : 21,21 m.
Constructeur : Thoutmosis III (1508-1493 av. J.-C.).
Emplacement d'origine : grand temple de Rê à Héliopolis. Transporté à Alexandrie pour être placé au Césareum et, par la suite, à New York, où il a été érigé en 1881.
Particularité : ses colonnes latérales ont été gravées pour Ramsès II.

Londres, quai Victoria
Hauteur : 20,88 m.
Constructeur : Thoutmosis III (1508-1493 av. J.-C.).
Emplacement d'origine : grand temple de Rê à Héliopolis. Transporté à Alexandrie pour être placé au Césareum. Tombé à terre, il est resté couché sur le sol pendant plusieurs siècles avant d'être déplacé à Londres, où il a été érigé en 1880.
Particularité : ses colonnes latérales ont été gravées pour Ramsès II.

Matarieh, banlieue du Caire
Hauteur : 20,40 m.
Constructeur : Sésostris Ier (1971-1926 av. J.-C.).
Emplacement d'origine : ancien temple d'Héliopolis, dont il est le dernier vestige.
Particularité : plus ancien obélisque connu, il porte une seule colonne de hiéroglyphes sur chacune de ses faces.

Karnak
Hauteur : 19,60 m.
Constructeur : Thoutmosis Ier (1493-1481 av. J.-C.), mais les inscriptions des colonnes latérales ont été gravées pour Ramsès IV et Ramsès VI.
Emplacement d'origine : IVe pylône, où il se trouve toujours.
Particularité : penche vers l'ouest.

Istanbul, Atmeidan
Hauteur : 19,60 m (28 m à l'origine).
Constructeur : Thoutmosis III (1508-1493 av. J.-C.).
Emplacement d'origine : VIIe pylône de Karnak. Brisé lors de son transport à Constantinople en 390.
Particularité : une seule colonne de hiéroglyphes sur chaque face.

Chronologie

1828

18 août. Arrivée à Alexandrie de Champollion qui examine les aiguilles de Cléopâtre.

23 novembre. Champollion tombe en admiration devant les obélisques de Louqsor.

1829

Mars. De retour à Louqsor, Champollion affirme sa préférence pour l'obélisque occidental.

Novembre. Champollion remet à Mohammed Ali un mémoire sur la défense des antiquités égyptiennes.

13 novembre. Le ministre français de la Marine crée une commission pour étudier le transport des obélisques.

Décembre. Champollion rentre en France à bord de l'*Astrolabe*, commandé par Verninac de Saint-Maur.

1830

6 janvier. Le baron Taylor est nommé commissaire du roi auprès du pacha d'Égypte.

Janvier. Crédit de 300 000 francs voté par les Chambres.

31 mai. Taylor reçu par Mohammed Ali à Alexandrie.

26 juillet. Le *Luxor* est mis à l'eau.

27-29 juillet. Les Trois Glorieuses.

31 juillet. Abdication de Charles X.

7 août. Louis-Philippe devient roi des Français.
29 septembre. Rapport de Champollion au ministre de la Marine.
29 novembre. Offre officielle des obélisques à la France.

1831
15 avril. Départ du *Luxor* de Toulon.
3 mai. Arrivée à Alexandrie.
15 juin. Le *Luxor* quitte Alexandrie.
19 juin. Lebas et le détachement qui l'accompagne partent pour Louqsor, où ils arriveront le 11 juillet.
7 juillet. Le *Luxor* quitte Rosette.
14 août. Arrivée du *Luxor* à destination.
10 septembre-15 octobre. Épidémie de choléra dans la région de Thèbes.
23 octobre (ou 31 octobre ou 1er novembre). L'obélisque est abattu.
19 décembre. L'obélisque est placé dans le *Luxor*.

1832
4 mars. Mort de Champollion.
10 août. Hittorff est nommé architecte de la place de la Concorde.
18 août. Le *Luxor* déséchoué.
25 août. Départ de Thèbes.
2 octobre. Arrivée à Rosette.

1833
1er janvier. La barre du Nil est franchie.
2 janvier. Arrivée du *Luxor* à Alexandrie.
1er avril. Départ du *Luxor* d'Alexandrie, remorqué par le *Sphinx*.
6 avril. Les deux navires se réfugient à Rhodes puis dans la baie de Marmaris.
23 avril. Ravitaillement en charbon à Corfou.
10 mai. Arrivée à Toulon. Quarantaine.
22 juin. Départ de Toulon, escales à Gibraltar (30 juin), au Cap Saint-Vincent (12 juillet), à la Corogne (20 juillet).
Juillet. Fêtes avec simulacres d'obélisque à la Concorde et aux Invalides.
12 août. Arrivée du *Luxor* à Cherbourg.
2 septembre. Le roi visite le navire.

12 septembre. Le *Luxor* reprend la mer.
14 septembre. Arrivée à Rouen.
23 décembre. Arrivée à Paris.

1834
15 juillet. Commande d'une machine à vapeur.
9-10 août. L'obélisque est extrait du *Luxor* et hissé sur la rampe du pont de la Concorde.

1835
24 avril. Le conseil municipal de Paris adopte le projet d'aménagement de la Concorde présenté par Hittorff.
Juillet. Le *Luxor* part en Bretagne chercher les blocs du piédestal.
5 septembre. Les blocs de granit sont chargés à bord.
15 décembre. Retour du *Luxor* à Paris.

1836
Avril. Le *Luxor* est débarrassé des blocs de granit.
17 avril. Deuxième déplacement de l'obélisque, halé sur la place.
16 août. Troisième déplacement, jusqu'au viaduc d'élévation.
1er octobre. Quatrième déplacement, jusqu'au piédestal.
25 octobre. Érection de l'obélisque.

1838
23 avril. Décision de retirer le mastic du pyramidion.

1839
Inscriptions portées sur le piédestal.

1877
27 septembre. L'aiguille de Cléopâtre offerte à la Grande-Bretagne quitte Alexandrie à bord du *Cleopatra*.
Le *Cleopatra* est retrouvé après avoir été perdu en mer.

1879
Abattage de l'aiguille de Cléopâtre offerte aux États-Unis.

1880
13 septembre. Érection de la première aiguille de Cléopâtre sur les bords de la Tamise.

1881
22 janvier. Érection de la deuxième aiguille de Cléopâtre à Central Park.

1937
22 janvier. L'obélisque de la Concorde est classé monument historique.

1998
14 mai. Pose du pyramidion métallique sur l'obélisque de la Concorde.

Bibliographie

Archives nationales

F[13]1230. Obélisque de Louqsor
Emplacements proposés 1833-1836.
Objets divers 1833-1835.
Transport à Paris et érection 1833-1836.
Piédestal du monument 1833-1837.

F[13]1231
Érection de l'obélisque et de son piédestal 1834-1838.
Désarmement et vente du *Luxor* 1837-1848.

Autres documents d'archives

Lettres des commandants du *Luxor* et du *Sphinx* au ministre de la Marine (Service historique de la Marine à Toulon).
L'Égypte de 1828 à 1830. Correspondance des consuls de France en Égypte, rassemblée par Georges Douin, Rome, 1935.
Séances du Conseil municipal de Paris, Bibliothèque historique de la Ville de Paris.

Récits des membres de l'expédition

Angelin, Justin-Pascal, *Expédition du Luxor ou relation de la campagne faite dans la Thébaïde pour en rapporter l'obélisque occidental de Thèbes*, Paris, 1833.

Angelin, Justin-Pascal, « Rapport sur l'état sanitaire de la Haute-Égypte pendant l'irruption du choléra-morbus en 1831 », *Annales maritimes et coloniales*, t. 2, 1831.

Joannis, Léon de, *Campagne pittoresque du Luxor*, Paris, 1835, avec un vol. de 18 planches de gravures.

Lebas, Apollinaire, *L'Obélisque de Luxor, histoire de sa translation à Paris, description des travaux auxquels il a donné lieu, avec un appendice sur les calculs des appareils d'abattage, d'embarquement, de halage et d'érection*, Paris, 1839.

Verninac de Saint-Maur, Raymond de, *Voyage du Luxor en Égypte entrepris par ordre du Roi pour transporter de Thèbes à Paris l'un des obélisques de Sésostris*, Paris, 1835.

L'obélisque de la Concorde

Benoît-Guyot, Georges, *Le Voyage de l'obélisque*, Paris, Gallimard, 1939.

Chabas, François, *Traduction complète des inscriptions hiéroglyphiques de l'obélisque de Louqsor place de la Concorde à Paris*, Paris, 1868.

L'Hôte, Nestor, *Notice historique sur les obélisques égyptiens, et en particulier sur l'obélisque de Louqsor, rédigée d'après les meilleurs documents et offrant les noms et époques des rois qui ont fait ériger ces différents monolithes*, Paris, 1836.

Menu, Bernadette, *L'Obélisque de la Concorde*, Versailles, Éditions du Lunx, 1987.

Nouvelle Description des travaux de l'obélisque pour son élévation, anonyme.

Poncelet, Étienne, *Obélisque de Louqsor. Étude préalable de stabilité* (rapport non publié), Paris, 1999.

Saint-Amand, Nicolas, *Essai historique sur l'obélisque de Louqsor érigé sur la place de la Concorde à Paris*, Paris, 1851.

Le temple de Louqsor

Champollion, Jean-François, *Monuments de l'Égypte et de la Nubie*, Paris, 1845.

Champollion, Jean-François, *Lettres et Journaux écrits pendant le voyage d'Égypte*, recueillis et annotés par Hermine Harteleben, Paris, Christian Bourgois, 1986.

Champollion-Figeac, *L'Obélisque de Louqsor transporté à Paris. Notice historique, descriptive et archéologique sur ce monument, avec la figure de l'Obélisque et l'interprétation de ses inscriptions hiéroglyphiques, d'après les dessins et les notes manuscrites de Champollion le Jeune*, Paris, 1833.

Daressy, Georges, *Notice explicative des ruines du temple de Louxor*, Le Caire, 1893.

Dewachter, Michel, « Les cynocéphes ornant la base des deux obélisques de Louxor », *Chronique d'Égypte*, Bruxelles, 1972, t. XLVII, n° 93-94, p. 68-75.

Du Camp, Maxime, *Le Nil : Égypte et Nubie*, Paris, 1852.

Jollois et Devilliers, *Description des ruines de Louxor*, in *Description de l'Égypte*, chap. IX, section VII.

Wilkinson, John Gardner, *Topography of Thebes*, Londres, 1835.

Dossiers Histoire et Archéologie, « Le temple de Louxor », Paris, 1986, n° 101.

La place de la Concorde

Granet, Solange, « La place de la Concorde », *Revue géographique et industrielle de France*, n° 26, Paris, 1963.

Hillairet, Jacques, *Dictionnaire historique des rues de Paris*, Paris, 1964.

De la place Louis XV à la place de la Concorde, Catalogue de l'exposition du musée Carnavalet, Paris, 1982.

Haussmann, Georges-Eugène, *Mémoires*, Paris, 1893.

Hittorff, Un architecte du XIXe, Catalogue de l'exposition du musée Carnavalet, Paris, 1986.

Humbert, Jean-Marcel, *L'Égypte à Paris*, Action artistique de la Ville de Paris, 1998.

Lavedan, Pierre, *Nouvelle Histoire de Paris*, Paris, Hachette, 1975.
Mousset, Albert, *Petite Histoire des grands monuments, rues et statues de Paris*, Paris, 1949.
Notice sur la place de la Concorde et Observations de plusieurs artistes sur les embellissements adoptés pour cette place, anonyme, Paris, 1836.

Débats et controverses

Borel, Pétrus, *L'Obélisque de Louqsor*, 1833.
Delaborde, Alexandre, *Description des obélisques de Louqsor figurés sur les places de la Concorde et des Invalides et précis des opérations relatives au transport d'un de ces monuments dans la capitale*, lu à la séance publique de l'Institut du 5 août 1832, Paris, 1833.
Hittorff, Jacques-Ignace, *Précis sur les pyramidions en bronze doré employés par les anciens Égyptiens comme couronnement de quelques-uns de leurs obélisques*, Paris, Paul Renouard, 1836.
Lacau, Pierre, *À propos de l'obélisque de Paris*, Institut de France, séance du 26 octobre 1942.
Lepage, J.-B., *Réponse à la notice de M. Hittorff sur les pyramidions en bronze doré*, Paris, Fournier, 1836.
Miel, *Sur l'Obélisque de Louqsor, et les embellissements de la place de la Concorde et des Champs-Élysées*, Paris, 1835 (extrait du *Constitutionnel* des 18 et 26 novembre et 14 décembre 1834).
Viator, comte de Morbourg, *Sur l'emplacement de l'obélisque de Louqsor*, Paris, 1833.
Vidal, Jean, « L'absent de l'obélisque », *in* Jean Lacouture, *Champollion*, Paris, Grasset, 1988.

Les aiguilles de Cléopâtre

Alton, Martina d', *The New York Obelisk and how Cleopatra's needle came to New York and what happened when it got here*, New York, The Metropolitan Museum of Art, 1973.

Budge, E. A. Wallis, *Cleopatra's needles and other egyptian obelisks*, The Religious Tract Society, 1926.
Description de l'Égypte, Antiquités d'Alexandrie, p. 35 à 42.
Dibner, Bern, *Moving the obelisks*, Cambridge, MIT Press, 1970.
Empereur, Jean-Yves, *Alexandrie redécouverte*, Paris, Fayard-Stock, 1998.
Gorringe, Henry H., *Egyptian Obelisks*, New York, 1882.
Iversen, Erik, *Obelisks in exile*, vol. I, *The Obelisks of Rome*, 1968 ; vol. II, *The Obelisks of Istanbul and England*, 1972 ; Copenhague, G. E. C. Gad Publishers.
Moldenke, Charles E., *The New York Obelisk, Cleopatra's Needle*, New York, Randolph, 1891.
Tompkins, Peter, *The Magic of Obelisks*, New York, Harper and Row, 1981.

Les obélisques égyptiens

D'Onofrio, Cesare, *Gli obelischi di Roma, storia e urbanistica di una città dall'età antica al XX secolo*, Rome, Romana Società editrice, 1992.
Fontana, Domenico, *Della trasportatione dell'obelisco vaticano*, Rome, 1590.
Golvin, Jean-Claude et Goyon, Jean-Claude, *Les Bâtisseurs de Karnak,* Paris, Presses du CNRS, 1987.
Habachi, Labib, *The Obelisks of Egypt. Skycrapers of the Past*, Le Caire, Thc Americain University in Cairo Press, 1984.
Kuentz, Charles, *Obélisques*, Catalogue général des antiquités égyptiennes du musée du Caire, Le Caire, Ifao, 1932.
Selim, Abdel-Kader, *Les Obélisques égyptiens. Histoire et archéologie*, Le Caire, Organisme général des imprimeries gouvernementales, 1991, 2 vol.

Conservation du patrimoine égyptien

Khater, Antoine, *Le Régime juridique des fouilles et des antiquités en Égypte*, Le Caire, Ifao, 1960.
Tagher, Jacques, « Ordres supérieurs relatifs à la conservation des

antiquités et à la création d'un musée au Caire », *Cahiers d'histoire égyptienne*, III, fasc. 1, novembre 1950.
Tahtaoui, Rifaa al-, *L'Or de Paris. Relation de voyage (1826-1831)*, traduit, présenté annoté par Anouar Louca, Paris, Sindbad, 1989.

Ouvrages et documents divers

Guy Antonetti, *Louis-Philippe*, Paris, Fayard, 1994.
Dupin, Charles, « Mémoire sur le transport en France des obélisques de Thèbes », le 21 mai 1831 à l'Académie des sciences, Paris, *Annales maritimes et coloniales*, 1832, II, p. 445 *sq*.
Haffner, Léon, « Le Sphinx », *Neptunia*, n° 26, 1952, p. 2-6.
Humbert, Jean-Marcel, « Les obélisques de Paris, projets et réalisations », *Revue de l'art*, 1974, n° 23, p. 9-29.
Humbert, Jean-Marcel, *L'Égyptomanie dans l'art occidental*, Paris, 1989.
Marilhat, lettre de Toulon, le 18 mai 1833, citée par Théophile Gautier dans « Marilhat », *La Revue des Deux Mondes*, 1er juillet 1848.

Sommaire

Crédits photographiques

HORS-TEXTE

Les chiffres correspondent aux numéros des photos

1 et 2. Musée national de la Marine, Paris. – 3. Photothèque des musées de Paris/Degraces. – 4. RMN/G. Blot. – 5. Photothèque des musées de la ville de Paris/Joffre. – 6. Archives Seuil. – 7. BNF, Paris. – 8. F. Achdou/Urba Images. – 9. Gamma/Girard-Orand-Robert. – 10. AFP/Gérard Julien/STF. – 11. François Poche/Atelier Culturel.

IN-TEXTE

Les chiffres correspondent aux pages

12, 204, 215, Archives Seuil. – 17, 71, 88, 140, 158, 166, 168, 182, 192, 207, 219, DR. – 34, 76, 79, 91, 97, 102, 108, 121, 126, Musée national de la Marine, Paris. – 148, Photothèque des musées de la Ville de Paris/Degraces. – 189, BHVP/collection Jean-Marcel Humbert. – 244, Étienne Poncelet Architecte.

RÉALISATION : PAO ÉDITIONS DU SEUIL
IMPRESSION : NORMANDIE ROTO IMPRESSION S.A.S. À LONRAI (61250)
DÉPÔT LÉGAL : FÉVRIER 2004. N°39279 (04-0021)
IMPRIMÉ EN FRANCE